ACCESO GRATIS *a la Lectura en la Nube*

Para visualizar el libro electrónico en la nube de lectura envíe junto a su nombre y apellidos una fotografía del código de barras situado en la contraportada del libro y otra del ticket de compra a la dirección:

ebooktirant@tirant.com

En un máximo de 72 horas laborales le enviaremos el código de acceso con sus instrucciones.

LLIÇONS DE DRET CIVIL CATALÀ IV
DRET D'OBLIGACIONS

COMITÉ CIENTÍFICO DE LA EDITORIAL TIRANT LO BLANCH

Procedimiento de selección de originales, ver página web:

www.tirant.net/index.php/editorial/procedimiento-de-seleccion-de-originales

LLIÇONS DE DRET CIVIL CATALÀ IV

CATALÀ IV

DRET D'OBLIGACIONS

Mª DEL CARMEN GETE-ALONSO Y CALERA
JUDITH SOLÉ RESINA

tirant lo blanch
València, 2017

Directoras de la Colecció:

Mª DEL CARMEN GETE-ALONSO Y CALERA
JUDITH SOLÉ RESINA

© Mª del Carmen Gete-Alonso y Calera
y Judith Solé Resina

© D'AQUESTA EDICIÓ: TIRANT LO BLANCH
C/ Arts Grafiques, 14 - 46010 - València
TELFS: 96/361 00 48 - 50
FAX: 96/361 41 51
Email:tlb@tirant.com
www.tirant.com
Llibreria virtual: www.tirant.es
DIPÒSIT LEGAL: V-1931-2017
ISBN: 978-84-9169-283-6
IMPRIMEIX I MAQUETA: Tink Factoría de Color

Pot enviar-nos els seus suggeriments a *atencioncliente@tirant.com*. També disposa d'un Procediment de queixes, d'acord amb el que s'estableix a *www.tirant.net/index.php/empresa/politicas-de-empresa*.

Responsabilidad Social Corporativa: http://www.tirant.net/Docs/RSCTirant.pdf

NOTA: Fins que no es desenvolupi completament el Llibre Sisè del Codi Civil de Catalunya (De les obligacions i els contractes) una part del qual va ser aprovat per la Llei 3/2017, el Títol I del Llibre Quart del Código Civil español (arts. 1088 a 1253 CC) és dret vigent i s'aplica a Catalunya. En aquestes Lliçons s'explica el dret d'obligacions amb base als dos textos legals. En relació amb els articles d'aquest Llibre Sisè s'ha de tenir en compte que el Ple del Tribunal Constitucional, per providència de 6 de juny de 2017, ha admès a tràmit recurs d'inconstitucionalitat contra els arts. 3, 4 i 9 de la Llei 3/2017, de 15 de febrer, del Llibre Sisè del CCCat, en les parts que donen nova redacció als arts. 621-1 a 621-54 (contracte de compravenda), arts. 621-56 i 621-57 (contracte de permuta), arts. 622-21 a 622-42 (contracte de mandat i gestió d'afers aliens), i Disposició Transitòria Primera.

Índex

Lliçó 1
La relació jurídica

Lliçó 2
La relació obligatòria

Lliçó 3
Les fonts de la relació obligatòria

Lliçó 4
Classes d'obligacions (I)

Lliçó 5
Classes d'obligacions (II)

Lliçó 6
Circumstàncies de la relació obligatòria

Lliçó 10
Incompliment i responsabilitat contractual

Lliçó 11
La protecció del crèdit

Lliçó 12
Modificació de la relació obligatòria

Lliçó 13
Extinció de la relació obligatòria

Lliçó 14
Obligacions amb pluralitat de subjectes

Lliçó 15
La responsabilitat civil extracontractual

Lliçó 1
La relació jurídica

1. LA RELACIÓ JURÍDICA

La persona és un subjecte social que es relaciona amb altres per cobrir i resoldre les seves necessitats. Les regles jurídiques que ordenen els diferents interessos entre les persones (físiques i jurídiques) donen lloc als conceptes de relació jurídica i dret subjectiu.

1.1. Concepte i classes

La relació jurídica és la relació social presa en consideració pel Dret que dóna raó jurídica i regles d'ordenació dels interessos que hi ha entre les persones. La qualificació de la relació social com jurídica comporta l'ordenació i regulació dels interessos mitjançant l'atribució de poders i deures atenent les diferents situacions subjectives en què estàn les persones. La relació jurídica:

a) Sempre és una relació personal, té lloc entre persones. No existeix relació jurídica amb les coses, aquestes són objecte de la relació. No direm que el propietari té una relació jurídica amb la finca sinó que és titular del dret de propietat sobre (objecte) la finca; el que és diferent de la manera en què hagi accedit a la propietat (per exemple, si va comprar la finca a l'anterior propietari, és a dir a través d'una relació contractual).

b) És, estrictament, jurídica; encara que pren com a fonament la realitat social és només una de les dades però no exclusiva (la relació d'amistat és social, però quan se celebra el matrimoni o es constitueix una unió estable es converteix en relació jurídica).

c) Està presidida per un criteri de racionalitat: el principi jurídic bàsic per mitjà del qual l'ordenament la dota d'unitat (depèn del tipus i classe).

Pel contingut de la relació es diferencien:

1. *Relacions personals*: prenen en consideració la situació de la persona en la societat de manera independent dels interessos econòmics. Tenen una doble projecció: l'estrictament personal (o personalíssima) i la familiar. Es distingeixen les que versen sobre els drets de la personalitat (esfera personal), i les relacions jurídiques familiars (ex., la conjugal, la filial).

2. *Relacions de cooperació social*: persegueixen fins d'associació o comunicació entre diverses persones (ex., les que neixen entre els associats).

3. *Relacions jurídiques patrimonials*: en elles el principi rector és l'activitat econòmica, l'intercanvi de béns i serveis entre les persones. Comprenen:

   a) Les relacions obligatòries que s'estableixen amb ocasió de la utilització dels mitjans jurídics a través dels quals es realitzen els interessos econòmics. Així, la més important, la relació contractual derivada del contracte. Representen, sempre, una situació jurídica dinàmica i

   b) Les relacions jurídico reals que són aquelles derivades de l'existència d'un dret real, d'una situació prèvia de poder jurídic sobre un objecte (per ex., la de l'usufructuari i el nu propietari). Responen a una situació estàtica.

Tenint en compte la jerarquía entre les diverses relacions es parla de:

a) Relacions independents: que tenen autonomia pròpia i separada de qualsevol altra relació jurídica (ex: la matrimonial) i

b) Relacions dependents que són les que estan connectades entre si. Segons el tipus de nexe que les uneix es diferencia la relació principal (per ex., el contracte d'arrendament) d'una altra relació subordinada (la del subarrendatari respecte del contracte d'arrendament), llavors el que passa és que la relació subordinada deriva de la principal.

c) La pluralitat de relacions en que totes tenen la mateixa principalitat és la coexistència de relacions.

1.2. Estructura

El concepte de relació jurídica determina els elements estructurals: els subjectes, l'objecte i el contingut.

a) Subjectes: són les persones entre les que s'estableix; sempre són persones físiques o jurídiques ja existents, mai coses. Un concebut no pot ser subjecte directe d'una relació jurídica.

Segons la posició que ocupi la persona en la relació (determinada pel contingut) es parla de subjecte actiu o posició (part) jurídica activa, a qui s'atribueix un poder o legitimació per actuar, i subjecte passiu o posició (part) passiva que té una situació de subordinació o deure jurídic davant de la posició activa. Cada posició o part pot estar ocupada per diverses persones, ser plural (per ex., diversos creditors; més tutors d'un mateix pupil) o per una sola (un sol deutor).

b) Objecte: és aquell àmbit de la realitat social (matèria, art. 1261, 2° CC) que s'acota per la relació. Més concretament, els interessos i els béns que són presos en consideració: la conducta compromesa (el deute), els béns en sentit jurídic (art. 1271 CC). Depèn, en cada cas, de la classe de relació jurídica.

c) Contingut: és l'àmbit d'actuació assignat als subjectes de la relació jurídica; el conjunt de drets i deures. Es distingeix entre la posició o situació jurídica activa (poder) i la posició o situació jurídica passiva (deure).

Situacions de poder són:

1. El dret subjectiu: comporta un conjunt de facultats que atorguen un poder concret i autònom sobre una conducta, per exigir-la (reclamar al deutor el pagament de l'obligació), o sobre una cosa (el del propietari sobre l'objecte de la seva propietat) en interès propi.

2. Les potestats. Atorguen a una persona un poder jurídic per a actuar sobre l'altra part de la relació (la passiva), però no al seu arbitri sinó en interès i en funció de la persona sotmesa, per la

seva protecció i benefici (potestat parental, o la autoritat del tutor).

En la posició jurídica passiva (deure), el subjecte està sotmès a l'actuació de la posició jurídica activa. El deure implica una limitació a la llibertat d'actuar que es tindria si no existís la relació jurídica, la infracció genera responsabilitat. Pot comportar una activitat (conducta positiva), un deixar de fer alguna cosa (abstenir-se) o el suportar una activitat aliena (patir). Els continguts bàsics vénen representats per:

1. L'obligació: la necessitat jurídica de dur a terme (executar) una determinada conducta que pot ser exigida coactivament (el deute, que estudiem en els següets lliçons).

2. L'obediència: la subjecció a les instruccions del subjecte actiu a què s'està sotmès personalment com a mesura de protecció (així, el menor respecte dels titulars de la potestat).

2. EL DRET SUBJECTIU

El dret subjectiu és un dels possibles continguts de la relació jurídica. Davant del Dret objectiu ordinador de conductes, el dret subjectiu és el poder jurídic atribuït al particular per satisfer les seves necessitats i interessos. És una legitimació (poder) per actuar autònomament en relació amb una cosa o a la conducta d'una altra persona per a un fi determinat, limitat per la funció social que ha de complir en cada cas segons la classe que sigui.

El dret subjectiu:

a) És una legitimació per actuar: procedeix de l'ordenament que atorga eficàcia al poder, imposa el respecte dels demés, el protegeix davant de lesions o violacions i autoritza la seva imposició coactiva.

b) És una legitimació per actuar autònomament, no depèn d'un altre, té una existència a part.

c) És una legitimació que confereix un poder unitari, compost de diverses facultats no separables del tot.

d) S'atorga sobre un bé (cosa) o per exigir d'una altra persona una conducta determinada i en interès propi i

e) No és il·limitat doncs el seu límit es fixa per la funció i els principis de l'ordenament jurídic que el reconeix.

2.1. Estructura

El subjecte del dret subjectiu és la persona a la qual se li atribueix el poder; l'atribució s'anomena titularitat (el propietari és titular del dret de propietat). El subjecte ha de ser sempre una persona, física o jurídica, existent i determinada o almenys determinable, i pot ser una sola persona (titularitat individual) o diverses persones: cotitularitat. Per ser titular d'un dret n'hi ha prou amb tenir capacitat jurídica (art. 211-1 CCCat) però per exercitar el contingut del dret subjectiu és necessària la capacitat d'obrar. Com a regla la persona ha d'existir i ser determinable; qüestió diferent són les situacions interines en què el titular encara no existeix però està concebut i per les quals s'arbitren mesures provisionals fins que es fixi definitivament al titular del dret (arts. 412-1, 423-7, 531-21.3 CCCat).

La cotitularitat es presenta quan el dret s'atribueix a diverses persones alhora (diversos copropietaris d'una finca) i recau sobre el mateix objecte (art. 551-1 CCCat). La cotitularitat difereix de la concurrència que es dóna quan diverses persones, sobre un mateix objecte, són titulars de drets subjectius diferents sobre ell (per ex., sobre una finca hi ha un dret d'usdefruit que correspon a l'usufructuari, i el dret de nua propietat del propietari). No és cotitularitat sinó única titularitat la de la persona jurídica.

L'objecte del dret és la matèria de la realitat social sobre la que s'atribueix el poder que és el dret subjectiu (s'estudia en l'apartat 3).

El contingut és el poder que s'atorga al seu titular, la legitimació, sempre unitari encara que compost per les facultats que juntes el defineixen. La STC 11/1981 de 8 d'abril, diu que "constitueixen el contingut essencial d'un dret subjectiu aquelles facultats o possibilitats d'actuació necessàries perquè el dret sigui recognoscible com pertinent al tipus descrit i sense les quals deixa de pertànyer a aquest tipus i ha de passar a quedar comprès en un altre, perdent la seva naturalessa", i que es parla d'essencialitat del contingut del dret "per fer referència a aquella part del mateix absolutament necessària perquè els interessos jurídicament protegibles, que donen vida al dret, resulti real, concreta i efectivament protegits". En la relació jurídica al poder es correspon una situació de deure jurídic que s'imposa als demés. I, en la relació obligatòria el dret de crèdit es correspon a l'obligació.

2.2. Classes

1. En atenció als principis d'organització es parla de drets subjectius públics enfront dels privats. Aquells són els que es generen en la relació entre l'Estat i els ciutadans, els que aquests poden exigir directament. Els privats són els que s'originen entre persones sense més qualificació. Són els que s'estudien en Dret Civil, principalment i als quals ens referirem des d'ara.

2. Per la relació jurídica en què s'insereixen o de la qual deriven es distingeixen:

   a) Drets de la personalitat: s'atribueixen a la persona sobre determinades manifestacions de la seva personalitat, en defensa de les mateixes i per a la seva protecció (el dret al nom, a l'honor, a la fama o a la pròpia imatge).

   b) Drets de família: conseqüència de la posició jurídica de cada un en la relació jurídica familiar (dels fills i els pares, dels cònjuges).

   c) Drets corporatius o de cooperació: deriven d'una situació de cooperació o associativa entre diverses persones (els dels associats).

   d) Drets patrimonials o econòmics: persegueixen la realització d'interessos econòmics, valorables en diners (la propietat, el dret de crèdit).

3. Pel tipus de poder en relació al subjecte obligat al deure de respecte:

   a) Els drets absoluts permeten, en general, exigir al titular el reconeixement de la seva existència i el deure de respecte a tota la comunitat (eficàcia *erga omnes*). El titular té el monopoli d'exercici. D'aquest tipus són els drets reals i els drets de la personalitat. L'absolutidad no suposa il·limitació.

   b) Els drets relatius atorguen poder perquè el titular pugui exigir a una altra persona una concreta conducta, només tenen eficàcia entre les parts de la relació i els seus hereus (art. 1257 CC). Els drets de crèdit pertanyen a aquesta categoria.

4. Pel contingut del poder es diferencia:

a) El dret real: el poder jurídic sobre una cosa. L'existència (tant en sentit físic com jurídic) i subsistència del dret subjectiu depèn de l'existència i subsistència de la cosa sobre la qual recau: si la cosa no existeix, no hi ha, tampoc, dret; si la cosa es perd, es destrueix o desapareix, s'extingeix el dret. Si s'ignora accidentalment on es troba, no s'extingeix el dret, i no n'hi ha prou la sola voluntat del titular del dret per a la seva extinció (amb la renúncia) sinó que requereix de l'abandonament material de la cosa (art. 543-1 CCCat).

b) El dret de crèdit o personal: atorga un poder sobre la conducta que ha de realitzar l'altra part de la relació jurídica: el deutor. L'essencial és la posada en pràctica de la conducta amb independència de l'existència i subsistència de la cosa. La pèrdua o destrucció de la mateixa no provoquen, necessàriament, l'extinció del dret; s'haurà de calibrar el grau de participació que el deutor hagi pogut tenir-hi (culpa, dol) o no (cas fortuït, força major) en ella per determinar en quina mesura i com es produeix l'extinció del dret de crèdit (art. 1182 i ss CC).

2.3. Les situacions jurídiques secundàries

Aquest terme abasta determinats continguts de la relació jurídica, en la posició activa (poder) i passiva (subjecció) que depenen del dret subjectiu i la relació en la qual s'insereixen. Notes comuns:

1. Manca d'independència i autonomia. No són separables de la relació jurídica en què es generen i s'insereixen. Acompanyen o s'afegeixen a un dret subjectiu o obligació; el fonament o origen pot derivar d'aquest poder o posició primària.

2. Poden donar-se en tot tipus de relació jurídica, però no són necessàries. No és contingut fix i essencial sinó accessori.

3. Com continguts de posicions jurídiques actives i passives participen de la seva naturalesa. Les actives comporten poder (que

no és ni dret subjectiu, ni potestat) i les passives d'un deure (que no és obligació ni obediència).

En la posició jurídica activa s'acostumen a incloure en aquesta categoria els drets potestatius, les situacions d'interinitat i els interessos. En la posició jurídica passiva, la més rellevant és la càrrega. Vegem el concepte de cadascuna d'elles:

– *Drets potestatius*, també anomenats drets de formació jurídica o facultats de modificació jurídica. És la posició jurídica activa que confereix al seu titular la legitimació (poder) per influir sobre situacions jurídiques preexistents modificant, destruint-les o creant una nova relació, mitjançant una declaració de voluntat unilateral (per ex., la facultat d'impugnació del contracte de qui ha patit un vici del consentiment, art. 1302 CC, o la de revocar una donació per ingratitud del donatari, art. 531-15 CCCat).

– *Situacions d'interinitat* engloben aquelles de caràcter transitori per a les quals es disposa una protecció concreta fins que arribi la situació definitiva que desembocarà en un dret subjectiu. Els supòsits no són homogenis: en uns el titular del dret subjectiu és indeterminat i es faculta a algú per actuar en un sentit concret (el titular interí). En altres, s'està en presència de drets subjectius el procés d'adquisició dels quals és complex; casos en què és necessària la concurrència d'una pluralitat de fets que se succeeixen temporalment i convergeixen en la total adquisició del mateix (formació successiva dels drets). En l'etapa que va des de la concurrència del primer fet a l'últim amb què culmina la formació definitiva, hi ha una situació de poder d'interinitat i en previsió del dret definitiu, s'atorguen determinades facultats al seu titular. Aquesta situació és la que se sol denominar expectativa de dret. Es diferencia de la simple esperança (*spes*) que en aquesta no existeix, ni en inici, el dret, el que sí ocorre en l'expectativa. És simple esperança la que té el nomenat hereu en el testament d'un altre mentre no mori el testador, perquè pot variar la voluntat (revocar) en qualsevol moment fins a la seva mort. Però si una persona dóna a una altra una joia a condició que acabi els seus estudis, el donatari té una expectativa jurídica d'adquirir un dret fins que es compleixi la condició, on adquirirà definitivament, el que el faculta per exercir mesures preventives (Vid l'art. 1121 CC).

- *Interès*: la noció no és uniforme, es pot definir com el poder jurídic que legitima el seu titular per intervenir, amb eficàcia jurídica, en una situació jurídica (relació) ja existent. Les notes que caracteritzen a aquest poder són:

  1) Requereix de l'existència d'una relació jurídica en la què s'insereix,

  2) Influeix i incideix en el desenvolupament de la mateixa.

  3) S'atribueix a una de les parts, o a les dues, de la relació, o a un tercer que és aliè però que resulta afectat per ella. Que pugui correspondre a una persona que no forma part de la relació distingeix l'interès dels drets potestatius.

  4) Té caràcter accessori.

  5) És un interès concret en una relació jurídica determinada. La concreció existeix quan s'atribueix tal poder a la posició activa o passiva com a contingut addicional (el soci de la societat té interès en què es compleixin els requisits que la llei exigeix per a l'adopció d'acords). Respecte del tercer aliè tal concreció existeix sempre que la seva situació jurídica en depengui i justificadament no tingui per què suportar-la: la idea es tradueix en que és portador d'un interès legítim. Els supòsits són variats: en ocasions la finalitat és paralitzar una actuació o l'exercici d'un dret que perjudica a un altre (l'abús de dret, art. 7.2 CC) o la legitimació per demanar la nul·litat del matrimoni (art. 74 CC). En altres, permetre el desenvolupament normal d'una relació jurídica que, d'una altra manera, es veuria frustrat (quan paga un deute aliè la persona interessada en el compliment de l'obligació (art. 1158 CC).

- *La càrrega*, es predica de la posició jurídica passiva i no s'ha de confondre ni amb l'obligació ni amb l'obediència. És una conducta, jurídicament no necessària i no discrecional, inserida en una relació jurídica fonamental (primària) la infracció de la qual repercuteix negativament en la posició jurídica passiva. El subjecte passiu gravat obté un benefici del compliment de la càrrega, o un perjudici en el cas que no la compleixi, però no pot ser compel·lit a complir-la ja que falta la nota de la coacció pròpia de l'obligació (per ex., el comprador té la càrrega de notificar al venedor la manca de conformitat del bé comprat en el termini determinat en la llei i si no ho fa perd el dret a reclamar, art. 621-28 CCCat). En l'àmbit processal l'anomenada càrrega de la prova, que comporta que qui al·lega i reclama alguna cosa té la càrrega de provar-ho i si no aconsegueix demostrar-ho perquè no utilitza els mitjans o ho fa malament, ha de patir (carregar) que el seu dret potser cedeixi front el de l'altra part.

3. L'OBJECTE: ELS BENS I LES COSES

L'objecte és la matèria de la relació jurídica i dels drets i poders de la mateixa (per ex., el que es compra i el preu, en la compravenda). En concret, és tot allò que té entitat, qualsevol que sigui el seu estat (corporal o no, artificial, natural), que és susceptible d'actuar com a suport de la relació i dels poders jurídics. Les normes fan servir l'expressió béns i coses de vegades en sentit sinònim i ampli comprenent fins i tot els atributs personals. No obstant això, en sentit específic, en les relacions jurídiques la mateixa persona, els seus atributs i condicions s'exclouen. D'altra banda s'ha de saber que l'expressió béns és general i designa l'objecte dels drets i relacions juridiques, mentre que la de cosa és particular, es refereix a una entitat concreta.

3.1. Concepte i caràcters

La doctrina acostuma a definir a la *cosa* com aquella entitat material o no, de naturalesa impersonal que té la seva pròpia individualitat i és susceptible de dominació patrimonial com un tot. En aquest sentit l'article 511-1 CCCat (titulat béns) indica que es consideren béns (objecte de dret) les coses i els drets patrimonials. De manera que comprèn els drets, d'una part entitats immaterials, i d'una altra les coses corporals. I continua el precepte indicant que són coses els objectes corporals susceptibles d'apropiació, el que inclou les energies sempre que la seva naturalesa ho permeti.

Dades característiques dels béns i coses objecte de dret són: la naturalesa impersonal, la persona no pot ser objecte, tampoc els drets de la personalitat, ni els atributs (encara que pot haver alguna excepció i sense perjudici que la seva lesió, als efectes de rescabalament, es calculi en una suma de diners); la condició de apropiabilitat, que és l'aptitud de submissió a dominació, el que eradica els béns comuns a tots i en general els *extra commercium*. Pel que fa als drets, en conseqüència, només els patrimonials (susceptibles de valoració econòmica) poden actuar com a objecte.

En quant als animals la norma expressa que no es consideren coses i estan sotmesos a la protecció especial de les lleis, de manera que només se'ls apliquen les regles dels béns en la mesura que ho permeti la seva naturalesa (art. 511-1-1 CCCat). Tot i la lletra de la llei no és exacte que els animals no puguin tenir la condició d'objecte de dret (cosa) en general; poden ser objecte de contractes i relacions jurídiques (per ex., el contracte d'integració, art. 625-1 CCCat). La matisació que introdueix la norma és una crida a que els animals, a diferència dels altres béns, gaudeixen, a més d'una protecció especial (Decret Legislatiu 2/2008, de 25 d'abril, Text refós de la Llei de protecció dels animals).

3.2. Classes de béns

Els béns poden classificar-se de conformitat amb diversos criteris, no excloents entre si, però la majoria dels ordenaments jurídics inicien la diversificació des de la distinció bàsica entre els béns mobles i immobles (art. 511-2 CCCat) a partir de la qual es fan les altres. En el Codi civil de Catalunya, només es tracta d'aquesta classe de béns i dels fruits (art. 511-3 CCCat), el que no exclou les altres classes que es distingeixen i es recullen, per la norma, en els llocs en què actuen. S'expliquen aquí les classificacions més comunes.

1. *Coses mobles i coses immobles*. Els béns, per la seva naturalesa o pel seu destí poden ésser immobles o mobles (art. 511-2.1 CCCat). La norma pren com a punt de referència dues dades: la manera de ser (naturalesa) del bé i la destinació econòmica, això és la finalitat que se'ls assigna en el tràfic jurídic.

Es consideren béns mobles les coses que es poden transportar d'un lloc a un altre sense detriment de la seva naturalesa i els altres béns que no es qualifiquen expressament com a immobles i els drets sobre béns mobles (art. 511-2.3 CCCat). Malgrat que la fórmula legal suggereixi el seu caràcter residual això no implica, com en èpoques anteriors, que tinguin menor valor o importància respecte dels béns immobles, de fet, a l'actualitat alguns béns mobles poden arribar a tenir un important valor economic. Encara que no s'indiqui en aquesta categoria s'inclouen els animals als quals s'apliquen les regles dels béns en allò que ho permeti la seva naturalesa (art. 511-1.3 CCCat).

En general són béns immobles els que no es poden transportar i tots els béns mobles i drets que s'incorporin o destinin a aquests i els que la llei qualifiqui expressament com a immobles. Del llistat de béns immobles que fa la norma (art. 511-2.2 CCCat) se segueixen diversos grups: bens immobles per naturalesa: la terra, les construccions i les obres permanents, les aigües, els vegetals i els minerals mentre no se separin o s'extreguin del sòl (lletres a i b); béns immobles per incorporació, és a dir els mobles que s'addicionen de manera fixa a un bé immoble i que no es poden separar d'ell sense deteriorament (lletra c) i béns immobles per destinació legal (o immobles per analogia), que són els drets reals, les concessions administratives que recauen sobre béns immobles, els ports, refugis nàutics i els drets d'aprofitament urbanístic.

2. *Béns de domini públic i de propietat privada.* Els béns de domini públic són els afectats a l'ús general o als serveis públics i els edificis en què s'allotgen els òrgans de la Generalitat i de les administracions públiques i tots els béns que una llei declari públics (art. 3. DLeg 17/2002, de 24 de desembre, Text refós del patrimoni de la Generalitat). En general, els béns de domini públic requereixen d'un acte d'afectació o destinació, en el moment en que perdin aquest caràcter passen a ser béns de propietat privada. L'art. 132.1 CE disposa que, la llei regularà el règim jurídic dels béns de domini públic i dels béns comunals, inspirant-se en els principis d'inalienabilitat, imprescriptibilitat i inembargabilitat, així com la desafectació, i fixa els principis que regeixen en aquests béns. L'estudi dels béns de domini públic correspon al Dret administratiu.

Els béns de propietat privada són els que pertanyen als particulars i els béns patrimonials de la Generalitat i les altres administracions públiques (art. 4. D Leg 172.002, de 24 de desembre, Text refós del patrimoni de la Generalitat).

3. *Coses corporals i coses incorporals.* Les coses corporals són les que tenen entitat espacial i tangible, o existència material comprovable mitjançant instruments, diferents de la persona. En la descripció s'inclouen les energies d'acord amb la norma (art. 511-1.2 CCCat) que així les considera en la mesura que ho permeti la seva naturalesa. Les coses incorporals són les que no presenten aquesta entitat material com les creacions intel·lectuals, independentment del suport material en què estiguin, o els drets.

4. La distinció entre les coses consumibles i no consumibles, les fungibles i no fungibles i les genèriques i específiques només procedeix per les coses mobles.

Les *coses consumibles* són aquelles l'ús de les quals conforme a la seva naturalesa i destí comporta la destrucció o desaparició (art. 561-5.1 CCCat). Les *coses no consumibles* són les susceptibles d'utilització de manera repetida sense pèrdua de naturalesa (el que inclou el deteriorament normal). Aquesta categoria no s'ha de confondre amb la de les *coses de consum* sota les que s'engloben, en general, totes aquelles que són objecte de relacions de consum, on s'inclouen unes i altres (art. 111-2 Codi de Consum).

La fungibilitat és la qualitat del bé que comporta, quan actua com a objecte de la relació, la possibilitat de substitució per un altre de les mateixes característiques, qualitat, pes i mesura sense que jurídicament hi hagi canvi (arts. 427-30.3; 569-16, 2 CCCat). Són coses no fungibles les que es prenen per les seves qualitats pròpies, de manera que són insubstituïbles (úniques).

Coses genèriques són aquelles la determinació de les quals s'efectua per referència a un gènere de manera que no estan individualitzades (art. 427-26.1 CCCat) i perquè pugui ser efectiu el dret es fa necessari l'elecció dels individus del gènere. Les *coses específiques* són les que apareixen exactament fixades en la relació jurídica, individualitzades, i no requereixen més concreció.

5. *Coses divisibles i coses indivisibles.* En sentit material una cosa és divisible quan el seu fraccionament no comporta pèrdua de la mateixa, i indivisible en cas contrari (una superfície de terreny és divisible, un llibre, no) (arts. 464-8.2, 542-18, 552-11 CCCat). La llei pot prohibir la divisió, tot i que la cosa física i jurídicament sigui partible

(indivisibilitat legal) (ex, la unitat mínima de cultiu o la parcela urbanistica).

6. *Coses simples, coses compostes.* Les coses simples són una unitat material natural o artificial que forma una individualitat superior. Les coses compostes estan formades per diverses coses simples que unides determinen una unitat però que continuen sent distingibles, així les peces d'una màquina o un edifici de diversos apartaments. En relació a aquestes es parla de parts integrants que són els components essencials de les mateixes.

7. *Coses principals i accessòries.* La cosa principal és aquella que determina l'essència i la funció del tot, o, la que té més valor. Les coses accessòries són les que estan al servei de la principal, i generalment de menys valor que aquesta (arts. 542-15 i ss CCCat).

8. *Universalitats.* Les universalitats són conjunts de coses homogènies o no que constitueixen una unitat i actuen en la relació jurídica com un tot, malgrat que les coses que la formen mantinguin la seva individualitat, de manera que a la mateixa s'apliquen les regles del tot i no les dels seus components. Es distingeix la universalitat de fet que és la integrada per béns mobles creada per la voluntat del titular o titulars de tots ells (un ramat de bestiar, una biblioteca), de la universalitat de dret que respon a un criteri jurídic. La universalitat de dret depèn de la configuració legal (així els patrimonis especials, el patrimoni hereditari).

9. *Cosa mare i fruits.* El concepte de cosa mare s'aplica a aquelles coses que natural o jurídicament tenen rendiments que s'independitzen i constitueixen una cosa individual i diferent des de que es separen d'aquella.

Els fruits d'una cosa són els productes i els altres rendiments que s'obtenen de la mateixa d'acord amb la seva destinació (art. 511-3.1 CCCat). Són fruits naturals els que tenen lloc de manera espontània de la terra, els minerals i els animals; s'anomenen fruits industrials els que es produeixen com a conseqüència de la intervenció de la persona (cultiu, treball). Els fruits civils es creen com a conseqüència d'una relació jurídica (la renda de l'arrendament, els interessos del préstec).

4. EL PATRIMONI: CONCEPTE, FUNCIONS

El patrimoni és un concepte jurídic instrumental a través del qual es designa com un tot el conjunt de drets, poders, facultats i altres situacions jurídiques, susceptibles de valoració en diners, que té la persona o que s'assignen a una determinada finalitat, que està sotmès a un règim unitari de gestió, administració i responsabilitat.

S'entén que tota persona, física o jurídica, té sempre un patrimoni durant la seva vida, amb idependència que en un moment determinat no hi hagi o estiguin menysvalorats els elements que el componen, ja que sempre hi ha l'aptitud d'adquisició (la capacitat de treball). Aquest és el patrimoni general i és del que es prediquen els caràcters i les funcions.

El patrimoni està adscrit al servei del titular o beneficiari per permetre la seva subsistència, i és la garantia de la responsabilitat davant de tercers (funció de responsabilitat). Del compliment de les obligacions respon el deutor amb tots els seus béns presents i futurs (art.1911 CC). Al mateix s'incorporen necessàriament tots els béns i drets que s'atribueixen al seu titular. Actua com a model enfront dels altres tipus de patrimonis que coexisteixin amb ell.

Són caràcters del patrimoni:

- La legalitat: la concreció i determinació de patrimonis diferents del general o personal està sostreta de l'autonomia privada. L'existència i reconeixement de patrimonis diferents ha d'estar reconeguda per la llei.

- La unitat, d'acord amb la qual tots els béns i situacions jurídiques que engloba són considerats i tractats com un sol objecte.

- La identitat, que permet que es mantingui quantitativament idèntic tot i que es modifiquin els seus components.

- L'avaluació econòmica, és a dir, que els elements que el formen sempre poden traduir-se a una valoració dinerària.

- La intransmissibilitat: els elements del patrimoni es poden transmetre individualment, però no com un tot, en vida de la persona. La transmissió total *mortis causa* té lloc a través de la successió hereditària.

- L'autonomia que s'entén com a delimitació i, si escau, quan es tracta de patrimonis especials, permet independitzar-los front a la responsabilitat per deutes.
- La necessitat: tota persona té un patrimoni; representa l'àmbit econòmic de la mateixa.

En l'estructura del patrimoni es diversifica el subjecte i el contingut:

a) El subjecte és el titular del patrimoni i sempre cal, encara que en ocasions previstes legalment, n'hi ha prou amb que s'identifiqui al beneficiari (així en els patrimonis protegits, arts. 227-1 a 227-9 CCCat). Els fruits o profits que produeixin els béns i drets i la responsabilitat s'atribueixen al titular (o beneficiari). Són titulars del patrimoni les persones físiques i les jurídiques i en inici és suficient tenir capacitat juridica. Qüestió diferent és que per exercitar els drets que el componen es requereixi capacitat d'obrar plena, en aquest cas si no es té s'haurà d'exercitar a través de la representació legal del titular o del beneficiari.

b) El contingut està format pel conjunt de drets, poders, facultats i situacions valorables econòmicament que comprèn en cada moment. S'hi distingeixen l'actiu i el passiu.

L'actiu del patrimoni es compon de tots els béns i drets susceptibles d'una avaluació econòmica, s'exclouen els drets i béns de la personalitat, els estrictament familiars i parentals, els drets polítics i els administratius. No obstant, les indemnitzacions econòmiques derivades d'accions de rescabalament, o de l'explotació econòmica contractual (com per ex., la cessió de drets d'imatge) s'integren en el patrimoni.

L'actiu patrimonial es crea gradualment a través de la incorporació dels elements. Són fonts de formació del patrimoni els títols jurídics que procuren l'existència de béns i drets concrets. Són fonts originàries les que suposen l'entrada dels actius patrimonials *ex novo*, en tant que són sobrevingudes les que impliquen una modificació d'algun dels elements que componen el patrimoni. Les vies sobrevingudes es produeixen per l'increment dels béns i drets que formen part del patrimoni o per substitució del que existia per un altre que passa a ocupar el seu lloc. El primer passa per l'aplicació de la institució de l'accessió (art. 542-1 CCCat), el segon a través de la subrogació real (art. 532-2.3 CCCat). En virtut d'això, s'integren en el patrimoni els fruits i rendes que produeixin els seus béns i drets, tot el que s'uneix als béns per incorporació i els béns i drets adquirits a títol onerós a càrrec del capital, els adquirits per l'exercici de drets d'adquisició preferent i les sumes cobrades per les indemnitzacions dels contractes d'assegurances de béns i drets del patrimoni.

El passiu abasta tots els deutes dels que el patrimoni és la garantia de responsabilitat davant els creditors (art. 1911 CC).

Els *patrimonis especials*, que tenen caràcter excepcional, són aquelles masses o conjunts de béns o drets avaluables econòmicament que es distingeixen del patrimoni general i als que, per la concurrència d'alguna dada específica, se'ls dota d'un règim particular i gestió diferenciada d'aquell. Coexisteixen amb el patrimoni general i la titularitat correspon a la mateixa persona, encara que pot estar matisada. Són supòsits d'aquests patrimonis:

Els *patrimonis separats*: masses de béns que s'independitzen del general per estar afectades o destinades al compliment de concretes finalitats de més o menys permanència temporal. Tenen règim propi d'administració i responsabilitat (per ex., el benefici de separació de patrimoni, art. 461-23 CCCat). Cessada la raó de la separació, o esgotada la finalitat, els béns restants s'integren en el patrimoni general.

Els *patrimonis col·lectius*: són masses de béns que s'atribueixen i pertanyen a una pluralitat de subjectes que no són persona jurídica. Així, en els supòsits de la comunitat hereditària (art. 463-1 CCCat), o de les comunitats de béns (art. 551-1 CCCat), o les societats que no tenen personalitat jurídica (art. 1669 CC).

Els *patrimonis interins*: es tracta de situacions de caràcter provisional per a les que, atesa la condició del titular del patrimon, en el seu interès es disposen unes regles particulars per tal de mantenir la integritat i identitat d'aquell fins que es resolgui la interinitat. Les supòsits més coneguts són les atribucions a la persona concebuda i no nascuda (art. 211-1.2 CCCat), els derivats de la situació d'absència, o de l'herència fideïcomissària (arts. 426-1 i 426-10 CCCat).

Lliçó 2
La relació obligatòria

1. LA RELACIÓ JURÍDICA OBLIGATÒRIA

Les relacions obligatòries són aquelles que s'estableixen en ocasió de la utilització dels mitjans jurídics a través dels quals es realitzen els interessos econòmics i l'intercanvi de béns i serveis en el mercat; són dinàmiques i dimanen de diverses fonts.

1.1. Concepte i estructura

En concret, la relació obligatòria és aquella relació jurídica patrimonial que té lloc entre dues parts, creditora i deutora entre les quals s'estableix un vincle jurídic (lligam) i en la qual s'atribueix al creditor un poder jurídic (el dret de crèdit) que el faculta per exigir a l'altra part (el deutor) la realització de la conducta deguda (la prestació). Per raó de l'existència de la relació obligatòria una conducta contingent (que pot o no exercitar-se segons el lliure arbitri de la persona) es converteix en necessària, és a dir s'ha de fer per qui es va comprometre i si no s'executa pot ser exigida coactivament.

La relació obligatòria comprèn tot el conjunt de deures i facultats que s'atribueixen a cadascuna de les parts (posicions jurídiques de la relació), els propis del tipus al qual pertany d'acord amb la font de producció.

En l'estructura de la relació obligatòria cal distingir:

a) Els subjectes: la posició jurídica activa és la que correspon al creditor (part creditora) i la posició jurídica passiva és la del deutor (part deutora)

b) L'objecte és la prestació, la conducta compromesa pel deutor;

c) El contingut és el dret de crèdit, el poder del creditor i l'obligació
o deute que correspon al deutor.

1.2. Caràcters

Són caràcters propis de la relació obligatòria, que se sumen als de
la relació jurídica:

a) *Relativitat*: La relació obligatòria únicament vincula i produeix
eficàcia entre les parts (activa i passiva) que hi intervenen (*res inter
alios acta*). Si és el cas, quan la relació no és personalíssima, si no s'ha
pactat altrament o la llei no ho impedeix la relació es transmet i afecta
els hereus de les parts (art. 1257.1 CC).

El dret que genera (el crèdit) la relació obligatòria no transcendeix
de la pròpia relació, per aquest motiu es denomina personal; en con-
trast al dret real que imposa un deure general a totes les persones de
respecte i abstenció de conductes lesives, el dret de crèdit no afecta
l'esfera jurídica dels altres, només incumbeix als qui estan en elles i els
demès tenen la condició de tercers (extranys). La relativitat, però, no
impedeix que es puguin produir efectes davant de tercers en determi-
nats casos (així, en els contractes a favor o amb estipulació a favor de
tercer, art. 1257 CC) i tampoc que hi hagi efectes indirectes.

b) *Temporalitat*: La durada de la relació obligatòria és limitada
ja que ningú pot estar vinculat personalment a una persona per tota
la vida (implicaria admetre l'esclavitud). En contrast a les relacions
jurídiques reals que poden perdurar indefinidament i tenir caràcter
perpetu, ja que incideixen en la situació del bé, no de la persona. La
temporalitat implica que s'ha de fixar un termini que, de no estar
previst per la norma o pel pacte de les parts, qualsevol d'elles pot exi-
gir que es determini o qualsevol d'elles provocar l'extinció quan hagi
transcorregut un temps raonable en el que els interessos de les parts
es pot presumir que ja s'han culminat.

En les relacions obligatòries per raó de la seva durada es distingeix
entre les instantànies en què no hi ha lapse temporal entre el naixe-
ment, compliment i extinció (per exemple, la compravenda al comp-
tat), i les duradores que estan cridades a perdurar un temps.

c) *Vinculació*: la relació obligatòria suposa l'assumpció, de part
de la posició jurídica passiva (deutor), d'una conducta necessària que

el creditor (posició jurídica activa) pot exigir coactivament. Aquesta situació personal que hi ha entre creditor i deutor en la relació obligatòria és el vincle o lligam, de caràcter jurídic, entre ambdós que estableix la necessitat jurídica de la conducta compromesa. A partir de la mateixa deixa de quedar a l'arbitri del deutor el compliment de la prestació que únicament pot exigir el creditor. El lligam entre creditor i deutor sempre és personal, tanmateix no implica, en cap cas, la submissió personal del deutor ja que la responsabilitat per l'incompliment de l'obligació recau en el patrimoni present i futur del deutor (art. 1911 CC), mai en la seva persona.

d) *Patrimonialitat*: És requisit de la relació obligatòria? La prestació, que és el seu objecte, ha de poder reduir-se a un valor econòmic i el crèdit ha de respondre a un interès d'aquest tipus? És indiscutible que l' interès del creditor en el crèdit (el que justifica l'existència del dret) no és només patrimonial sinó que pot ser d'un altre tipus (artístic, científic, lúdic...); també, és indubtable que hi ha prestacions que, almenys en aparença, no són netament econòmiques.

Convé recordar que no hi ha una norma concreta que exigeixi aquest requisit, encara que la responsabilitat del deutor és sempre patrimonial (art. 1911 CC). D'altra banda, a l'hora de l'execució de la prestació, tant dels preceptes del Codi civil (arts. 1098, 1099 i 1101) com de la Llei d'Enjudiciament Civil (arts. 701.3, 702, 706.2, 709.1 i 710) se segueix que és admissible l'execució de la prestació sigui quina sigui aquesta (de donar, pecuniària, de fer) si bé quan no és possible l'execució *in natura* (el mateix que es va comprometre), es porta a terme la transformació d'aquesta en l'equivalent pecuniari (el que resulta particularment rellevant respecte de les obligacions personalíssimes).

Del que s'ha indicat es dedueix que, tot i que en la relació obligatòria, la prestació i l'interès del creditor pot no ser patrimonial i no per això deixa d'existir i reconèixer-se com a relació obligatòria, en la fase d'execució forçosa (quan el deutor incompleix) s'acaba reconduint a una valoració econòmica (de la prestació i dels danys) que es tradueix en una obligació dinerària amb la qual es satisfà el crèdit. Constatació de la que resulta el caràcter patrimonial de la relació obligatòria.

2. EL CRÈDIT

El contingut fonamental del dret de crèdit és la legitimació conferida al creditor per exigir el compliment de l'obligació amb caràcter coactiu.

El creditor té el poder jurídic per exercitar extrajudicial i judicialment, si escau, l'acció de compliment comminant i obligant al deutor mitjançant sentència condemnatòria, tot en contra de la voluntat d'aquest (art. 1096 i ss CC i 699 i ss LEC) i alhora ostenta poder per actuar l'acció dirigida a exigir la indemnització dels danys que es deriven de l'incompliment (art. 1101 CC).

La facultat d'exigir el compliment de l'obligació i la indemnització únicament es pot exercitar sobre el patrimoni del deutor. El deutor respon del compliment de les seves obligacions només amb el seu patrimoni (no amb la seva persona) però de manera universal: abasta els béns presents (que tingui en el moment de contreure el deute) i els futurs (art. 1911 CC).

A aquesta facultat d'agressió del patrimoni del deutor i com a mesures que pot exercitar el creditor per protegir el seu dret es vinculen les següents actuacions que pot posar en pràctica: l'acció subrogatòria, indirecta o obliqua (art. 1111 CC) i l'acció revocatòria dels actes efectuats pel deutor en frau dels seus creditors (arts. 1111, 1295 CC i 531-14 CCCat), la facultat de provocar la situació de concurs del deutor en el cas d'insolvència; la possibilitat d'intervenir en la partició o divisió de situacions de comunitat (arts. 464-3, 552-12.3 CCCat), la ineficàcia relativa dels actes de renúncia realitzats pel deutor (art. 111-6 CCCat), la facultat de sol·licitar i exercitar mesures conservatives del crèdit, així com la del venciment anticipat del deute (art. 1129 CC).

El dret de crèdit és disponible, es pot transmetre sempre complint amb els requisits que estableixi la llei, excepte en els casos que la llei declari intransmissibles o en els que s'hagués pactat la intransmissibilitat (art. 1112 CC).

El poder del creditor està sotmès a límits que es reflecteixen en les càrregues i deures que ha d'observar. Com a regla general l'exercici del dret del creditor està limitat pel principi de la bona fe (art. 7. 1, 1258 CC i art. 111-7 CCCat: «En les relacions jurídiques privades s'han d'observar sempre les exigències de la bona fe i de l'honradesa dels tractes ») i el principi de no abusar del seu dret (art. 7.2. CC).

A més el creditor ha de cooperar en el compliment de l'obligació el que es tradueix:

a) En el deure d'informar de les circumstàncies, dades i extrems que afecten la mateixa (arts. 621-7 CCCat, 123-3, 123-4 i 211-3 Codi de Consum de Catalunya)

b) En el deure de col·laborar, si s'escau, perquè es pugui dur a terme el compliment (art. 622-28 CCCat: el deure de cooperació del mandant; també, per ex. facilitar l'entrada al local perquè es pugui pintar) i

c) En la càrrega de comprovar si el pagament o compliment s'adequa o no a la prestació que es va comprometre (art. 621-27 CCCat).

3. EL DEUTE

La posició jurídica (o part) passiva de la relació obligatòria l'ocupa el deutor que és qui assumeix el compliment de la prestació. El contingut de l'obligació es descriu a través del deute: la conducta compromesa pel deutor. La conducta contingent, que pot o no realitzar-se, es converteix en necessària quan es compromet en una relació obligatòria. La regla general és que el deutor, jurídicament, s'obliga enfront del creditor a respondre de la realització de la conducta deguda (la prestació) que és la que es delimita en cada relació.

No obstant això convé tenir en compte que el deutor no necessàriament és qui ha de complir (pot fer-ho un tercer tret que es tracti d'una obligació personalíssima, art. 1158 CC) però sí és qui respon del compliment (art. 1911 CC). Així és que, sigui quina sigui l'obligació, la conducta deguda és la de desplegar la diligència que correspongui per fer possible la realització de la prestació. La diligència és personalíssima del deutor i no es pot substituir.

A la diligència que ha d'emprar el deutor en el compliment de l'obligació es refereix l'article 1104 CC en el qual es descriu de manera negativa (la culpa o negligència és la falta o infracció de la diligència). D'acord amb aquest precepte, el deutor, en el compliment de l'obligació ha de posar en pràctica aquella diligència que exigeixi la naturalesa de l'obligació i correspongui a les circumstàncies de les persones, del temps i del lloc. Quan l'obligació no expressi la diligència s'exigeix la que correspondria a un bon pare de família, que és la coneguda com a diligència mitjana, la que aplicaria qualsevol persona raonable en una societat i moment determinat en els assumptes de què es tracti en cada cas (art. 622-41.1 CCCat). A més de la diligència mitjana es distingeixen la màxima que suposa l'exigència d'una atenció especial en el desenvolupament de la prestació i la diligència mínima, que no requereix d'atenció especial, sense que això impliqui negligència. La infracció de la diligència màxima deriva en la culpa levíssima; de la mitjana en la culpa mitjana i de la mínima en la culpa lata.

Quan el deutor compromet una conducta davant del creditor amb caràcter professional la diligència es coneix com perícia, denominació que comprèn el deure de posar en pràctica i aplicar els coneixements professionals (la *lex artis*) corresponents. En aquest supòsit, s'ha d'aplicar la perícia adequada a la naturalesa i circumstàncies de l'obligació, la que s'hagi pactat, i si no la del professional mitjà (arts. 622-41.2 CCCat).

Conseqüència del deure de diligència del deutor és que sempre és responsable del compliment de l'obligació, encara que no sigui el seu autor i que financi l'activitat dirigida al compliment. És en el patrimoni del deutor en el recauen les despeses de lliurament (arts. 1068 CC, 621-15 CCCat), el que ha de suportar els danys i perjudicis que es derivin de l'incompliment (art. 1101 CC) i en el qual actua la execució forçosa de la prestació, si escau (a costa i càrrec, arts. 1096, 1098, 1099 CC). A més, el deutor ha d'observar el principi de bona fe i no abús de dret en la relació obligatòria (arts. 111-7 CCCat, 1258 CC).

El deute, en general en ser una posició jurídica passiva que compromet una diligència personalíssima de l'obligat, com a principi, no és disponible: el deutor no pot transmetre la seva posició jurídica sense comptar amb el consentiment del creditor (art. 1205 CC).

El deutor gaudeix de les facultats:

a) D'alliberament, és a dir pot deslligar-se del deute quan el creditor es negui injustificadament a acceptar el compliment;

b) Pot oposar excepcions a la reclamació de compliment del cre-
ditor. Les excepcions són fets jurídics que paralitzen justificada-
ment l'exigència de compliment del creditor i

c) Pot agrupar tots els seus creditors i instar l'execució col·lectiva
de tots els seus deutes en els supòsits de concurrència de crèdits
(situacions de concurs de creditors).

Regla general interpretativa del deute és el principi del *favor debi-
toris* d'acord amb el que, en el dubte, s'entén que qui s'obliga s'obliga
menys (interpretació estricta).

4. L'OBJECTE

4.1. Concepte

L'objecte en la relació obligatòria és la conducta concreta que
s'obliga a realitzar el deutor i que el creditor pot exigir coactivament.
La conducta a la qual es compromet el deutor conforma la prestació
que és l'objecte de la relació obligatòria i el seu contingut pot ser l'ac-
tivitat, la inactivitat o el lliurar una cosa (art. 1088 CC).

4.2. Requisits

L'objecte de la relació obligatòria ha d'existir, de ser possible, lícit
i estar determinat. Vegem cada un d'aquests requisits:

a) *Existència*: si l'objecte és la prestació i aquesta és la conducta
que es compromet pel deutor n'hi ha prou amb que s'hagi fet efectiu
el fet del que es deriva (neix) aquesta perquè s'entengui que hi ha ob-
jecte. La prestació és necessària sempre, ha d'existir ja que sense ella
no hi ha obligació, qüestió diferent és que el bé concret, objecte im-
mediat del compliment, existeixi o no en el moment de naixement del
deute, temps en el qual pot no existir sense que això impliqui manca
d'objecte (en general, la prestació d'una activitat és sempre futura, o
la de lliurar un bé que s'ha de fabricar, art. 621-3 CCCat).

b) *Possibilitat*: l'exigència que l'objecte sigui possible comporta
que la prestació, segons el tipus d'obligació de què es tracti, pugui
ser, succeir (obligació de donar) o es pugui executar o no (obligació
de fer i obligació de no fer). La impossibilitat, que impedeix existeixi

prestació, és l'absoluta, originària i total. La impossibilitat absoluta és aquella que afecta els casos en què ningú pot dur a terme la prestació. La impossibilitat és relativa quan sent objectivament possible no ho és, en concret, per a determinades persones, té per tant una connotació personal.

La manca de possibilitat de la prestació pot ser originària, en el moment de néixer l'obligació, o sobrevinguda, que és la que es produeix en un moment posterior. La impossibilitat sobrevinguda pot tenir lloc pròpiament per impossibilitat de dur a terme l'actuació (obligacions de fer (art. 1184 CC), o per destrucció de la cosa, física o jurídica (esdevé *extra comercium*) que havia de lliurar-se (art. 1182 CC). La impossibilitat originària impedeix que neixi l'obligació, la sobrevinguda provoca l'extinció *a posteriori* (arts. 1182 i 1184 CC); no obstant això no té lloc si és per culpa del deutor perquè llavors hi ha incompliment de l'obligació (art. 1182 CC). La impossibilitat, també, pot ser total, que és la que es refereix a tota la prestació, o parcial que afecta part de la prestació.

c) Determinació: la prestació ha d'estar totalment individualitzada i identificada des de la seva constitució (art. 1273 CC). En les obligacions de donar la prestació es pot delimitar de manera individual o genèrica designant només el gènere a què pertany la cosa. En el cas d'una pluralitat de coses caldrà tenir en compte la manera en què les parts hagin descrit l'objecte i la naturalesa d'aquest.

Si es tracta de diverses coses pot ser que hi hagi tantes relacions com a objectes, o que hi hagi una sola relació quan han estat designades totes juntament (no es vol la una sense l'altra) o resulti de la seva naturalesa que és una sola. S'ha de tenir en compte que determinats objectes que són plurals jurídicament poden actuar com una sola cosa: així les universalitats de fet o de dret. En les obligacions de fer, a més, intervé un altre factor, si s'ha tingut en compte (obligacions personalíssimes) o no (obligacions personals) la persona del deutor, ja que la concreció de l'obligat fixa la qualitat intrínseca de l'activitat compromesa.

S'admet la simple determinabilitat que es dona quan s'indiquen només els criteris que permetran la individualització posterior, sempre abans del compliment, sense necessitat de nou acord entre creditor i deutor (art. 1273 CC); aquests poden ser objectius, per exemple es fixa el preu amb relació al valor del mercat, al que assenyali determinat índex..., etc. (art. 621-5.1 CCCat); o subjectius que depenen del criteri d'una altra persona (art. 621-5.2 CCCat). Pot deixar-se la determinació a l'arbitri d'una tercera persona i que aquesta decideixi bé al seu arbitri lliure, d'acord amb els seus propis criteris, o en arbitri d'equitat, cas en el que haurà de determinar la prestació d'acord amb les circumstàncies. Si el tercer no arriba a determinar la prestació aquesta esdevindrà ineficaç (art. 621-5.2 CCCat).

Finalment, en determinades relacions contractuals, quan la voluntat de vinculació és clara, la llei supleix la manca de determinació i dels criteris, en relació al preu (l'objecte d'una de les relacions). Per a la compravenda es disposa que si el contracte no determina el preu ni els mitjans per determinar-lo, s'entén que el preu és el que generalment es cobra en els béns de naturalesa similar, en circumstàncies comparables en el moment de la conclusió del contracte (art. 621-5.1 CCCat).

Que la prestació sigui líquida (està fixada la suma exacta de diners) o il·líquida (s'ha de fixar el muntant) no comporta que sigui indeterminada (aquesta precisió nomes s'aplica a les obligacions de diners).

d) *Licitud* (art. 1271 CC): és il·lícita la prestació il·legal, contrària a una norma imperativa i la prestació immoral, contrària als principis morals i ètics d'una societat i moments determinats. La il·licitud comporta una prestació nul·la, és a dir de la qual es pot declarar la nul·litat.

5. EL DÈBIT I LA RESPONSABILITAT

La relació obligatòria comporta un vincle jurídic entre el creditor, titular del dret de crèdit i el deutor, que assumeix el deure jurídic de la prestació, com un tot. Malgrat això, en la literatura jurídica quan s'explica el contingut i abast de la posició jurídica passiva, del deute, és comú distingir dos àmbits en atenció a la dada de la mateixa que es prengui en consideració en cada moment: el dèbit i la responsabilitat; fins a l'extrem que s'ha arribat a plantejar si s'han de donar conjuntament o si poden existir per separat. Un dels supòsits és l'anomenada obligació natural, d'aquí la necessitat de delimitar i fixar aquests conceptes.

5.1. Concepte

La posició jurídica passiva comprèn com un tot tant el dèbit com la responsabilitat: el deutor es compromet (assumeix) una determinada conducta del compliment de la qual és responsable amb tots els seus béns presents i futurs. No obstant això, per tradició, es distingeix entre el dèbit i la responsabilitat que, en veritat, no es poden separar de la posició jurídica passiva i són dos elements complementaris d'una única situació (el deute o obligació).

S'identifica com dèbit l'àmbit subjectiu, en el qual es posa l'accent en l'obligació (deute) com a necessitat jurídica de realitzar la conducta (art. 1088 CC), assumida pel deutor que és exigible pel creditor (art. 1096, 1097, 1098, 1099 i 1101 CC). El dèbit, en essència, del deutor és la diligència compromesa que és pròpia i personalíssima i en la qual ningú pot suplir-lo. Diferent és el compliment concret que, com a regla general, pot fer qualsevol (pagament de tercer, art. 1158 CC). El deutor deu però no és necessàriament l'autor de la prestació.

La responsabilitat és la manifestació del poder d'agressió del creditor que el faculta a exigir el compliment i pot fer efectiu sobre el patrimoni del deutor (art. 1911 CC). És l'aspecte objectiu del deute, el deutor no respon personalment sinó amb el seu patrimoni, la seva persona queda fora del poder del creditor, encara que sempre és responsable hagi estat o no autor de la prestació (hagi complert ell o un tercer).

Deute i responsabilitat són les dues cares d'una moneda, per tant, en la relació obligatòria són inescindibles i conformen el contingut de la posició jurídica passiva. En ocasions s'ha volgut veure o s'han interpretat determinades situacions o figures jurídiques en clau d'admetre la separació entre els conceptes esmentats. Cap dels exemples que s'addueixen ho justifica.

Així, el contracte de fiança, un dels que es posa com a exemple de la separació entre el dèbit (que correspon al deutor) i la responsabilitat (que seria del fiador), no ho avala. El fiador és, també, un obligat i és deutor. Pel contracte de fiança una persona (el fiador) s'obliga a pagar o complir per un tercer en cas de no fer-ho aquest (art. 1822 CC). Tampoc els supòsits en què es limita la responsabilitat del deutor justifiquen la separació; ni la situació de l'adquirent de finca hipotecada que ha de suportar l'execució sobre la mateixa en el cas que no hi hagi assumit el deute, ja que es tracta d'un efecte propi del dret real d'hipoteca. L'únic cas que s'individualitza és el de l'obligació natural que s'explica a continuació, però tampoc dóna suport a la distinció perquè obeeix a un fonament diferent.

5.2. L'obligació natural

Com s'acaba d'explicar l'anomenada obligació natural es presenta com un dels casos, pràcticament l'únic, que justificaria la separació entre el deute i la responsabilitat, situació en què es detecta l'existència d'una obligació sense el corresponent dret de crèdit.

La distinció entre obligació natural i obligació civil té el seu origen en el Dret Romà, fonament en el qual s'assenten les normes actuals dels sistemes jurídics del Civil Law o romanogermànics (països europeus, amb exclusió dels anglosaxons), en l'àmbit de les relacions jurídiques patrimonials.

En el Dret Romà l'obligació civil era la relació obligatòria per excel·lència ja que era l'única que tenia una acció que permetia el creditor reclamar judicialment. Davant seu, l'obligació natural designava aquelles situacions que bé per raó de les persones que les contreien (els esclaus, que tenien la condició de coses, els incapacitats i els menors d'edat sotmesos a la *potestas*), bé per no tenir causa *civilis obligandi* (els pactes nus) estaven desproveïdes d'acció davant els tribunals i el creditor no podia reclamar-les, encara que si es podien al·legar mitjançant excepció. No obstant això, en el cas que s'haguessin complert voluntàriament, el creditor podia denegar la devolució del que hagués cobrat (efecte retenció: *solutio retentio*), també podia operar la compensació, es podien novar, reconèixer i garantir.

En el transcurs de la història i de l'evolució de les institucions jurídiques, les obligacions naturals pròpies del Dret Romà es converteixen en autèntiques obligacions civils, a través de la seva incorporació a les figures i conceptes jurídics propis de la codificació. En tot cas els textos legals codificats prescindeixen de l'obligació natural com a categoria i fins i tot no s'esmenta. No obstant això, si be la categoria no s'admet, és comú i generalitzada l'opinió jurídica que entén que en l'actualitat es recondueixen a aquells deures socials o morals, de contingut patrimonial que no es poden exigir però que complerts voluntàriament justifiquen l'efecte de la retenció i d'un cobrament degut. Algunes sentències ja molt antigues (SSTS de 17 d'octubre de 1932 i 5 de maig de 1958), van corroborar aquesta interpretació.

Aquests deures socials o morals tenen cabuda en l'altra justa causa que, segons disposa l'article 1901 del Codi civil espanyol permet que el creditor retingui el que ha cobrat al·legant el seu compliment degut. Encara que en el segle XXI, donada la tònica de la normativa en l'àmbit de la protecció de la persona, gran part d'aquests deures morals i socials que, fins al moment estaven al marge de les lleis, cada vegada amb més freqüència s'integren en normatives, ja generals, ja sectorials. De manera que la categoria de l'obligació natural si ja era residual des de la codificació, esdevé últim reducte avui en dia.

Lliçó 3
Les fonts de la relació obligatòria

1. LES FONTS DE LES OBLIGACIONS

S'identifiquen com a font de l'obligació els fets o causes a què l'ordenament jurídic lliga l'efecte de fer néixer un obligació (respon a la pregunta, per què s'ha produït l'obligació?).

La referència a les fonts de les obligacions, encara que no sempre la norma en fa servir la paraula font, es conté en els textos legals. El Preàmbul de la Llei 3/2017 del Llibre Sisè del Codi civil de Catalunya indica que el seu Títol segon es dedica a les fonts contractuals a on s'inclouen els diferents tipus contractuals, i que el Títol tercer comprèn les fonts no contractuals de l'obligació, del qual no s'esmenta el contingut. D'altra banda, el Codi Civil espanyol, d'acord al que van fer altres codis de l'àrea llatina al segle XIX i principis del XX, recull una enumeració de fonts que és l'admesa comunament.

En aquest cos legal s'indica que "Les obligacions neixen de la llei, dels contractes i quasi contractes, i dels actes i omissions il·lícits o en què intervingui qualsevol gènere de culpa o negligència" (art. 1089 CC). L'elecció d'aquests fets o causes que originen l'obligació troba el seu origen en el Dret romà (Instituta 3, 13,2) al que, en l'esdevenir de la història, es va agregar la llei.

Aquesta relació de fonts del Codi civil espanyol, actualment, la doctrina la considera inadequada, per insuficient ja que no abasta tots els supòsits possibles dels quals pot sorgir l'obligació, i planteja dubtes sobre l'abast de determinats fets com a creadors d'obligacions; per aquest motiu, en els textos legals existents, sense perjudici del respecte i admissió de les fonts tradicionals, es prefereix distingir, genèricament, a l'hora de delimitar els fets dels que sorgeixen obligacions entre les fonts contractuals i les no contractuals. Per descomptat, comprenent en tot cas a la llei com a font.

2. OBLIGACIONS DERIVADES DE LA LLEI

Les obligacions derivades de la llei són les anomenades obligacions legals. La funció de la llei com a font actua per a aquells casos que, directament, es configuren com a obligacions per la norma jurídica. S'ha de tenir en compte que la llei actua d'una part com a font directa de l'obligació de què es tracti (per exemple, l'obligació legal d'aliments entre parents, arts. 237-1 i ss CCCat) i, a més com a font residual, és a dir, com a norma de tancament que determina que l'obligació tingui el seu origen en la llei quan no s'identifica un altre fet font. D'aquesta manera l'admissió de la llei com a font compleix una funció de garantia ja que assegura que tot deute que neixi de fets que estan prèviament controlats per la norma jurídica tingui la qualificació d'obligació.

Les obligacions derivades de la llei no es presumeixen. Només es poden exigir aquelles que estan expressades en els Codis o en les lleis especials, i es regeixen pels preceptes de la llei que les hagi establert. Supletòriament se'ls apliquen les disposicions generals del llibre d'obligacions (art. 1090 CC).

Les regles bàsiques de les obligacions legals es poden ordenar així:

1) L'origen de l'obligació és la llei, tal com es diu en els preceptes del Codi. El terme llei s'interpreta en el sentit de norma jurídica de l'ordenament; és a dir, abasta tant la llei en sentit estricte com les altres normes de rang inferior i també el costum i els principis generals del dret. Hi ha obligacions legals per tant que poden derivar-se d'un costum o d'un principi general (l'obligació de rescabalar el perjudicat per l'enriquiment injustificat obtingut troba el seu origen en un principi general del dret que aplica reiterada jurisprudència, llevat que el cas en concret estigui recollit en una norma).

Com el precepte assenyala, no només són legals les obligacions que es contenen en el Codi, sinó que també poden trobar-se en "lleis especials". Aquesta expressió fa referència a lleis civils que no estan en el Codi i en general a les demes lleis siguin o no civils (cal recordar el caràcter supletori del Codi Civil, cfr. arts. 4.3 CC, 111-4 CCCat).

2) Aquestes obligacions són sempre expresses, cal que es derivin de la norma jurídica de manera clara i les ha d'establir la mateixa norma, ja que no és possible, en cap cas, presumir la seva existència, ni deduir, tampoc, de conjectures.

Aquest caràcter exprés no vol dir, però, que s'hagi de contenir en una norma escrita (el costum, i el principi general, normalment no estan escrits).

3) Les obligacions legals es regeixen per les regles que estableixi la norma jurídica (llei, costum, principi general) que, en concret, les ha creat i, supletòriament, per les generals de les obligacions que es contenen en el Llibres IV del Codi Civil espanyol i el Llibre VI del Codi Civil català.

3. EL CONTRACTE

La següent font de les obligacions, en l'ordre d'enumeració és el contracte. De les obligacions que neixen dels contractes es diposa que "tenen força de llei entre les parts contractants, i s'han de complir al tenor dels mateixos" (art. 1093 CC). I s'estableix que "El contracte existeix des que una o diverses persones consenten a obligar-se, respecte d'una altra o altres, a donar alguna cosa o prestar algun servei" (art. 1254 CC).

El contracte és el consentiment (acord entre dues parts), dirigit a la producció (modificació i extinció) d'obligacions, una de les més importants fonts de les obligacions. És un acte voluntari bilateral que dimana de l'autonomia privada (de l'exercici de la llibertat contractual) que actua com a font d'una relació jurídica patrimonial: la relació obligatòria contractual. Aquesta relació contractual produeix l'efecte de vinculació entre les parts i l'efecte obligatori com a conseqüència de l'existència del consens (concurrència de l'oferta i l'acceptació, art. 1262 CC) al qual han arribat les parts contractants.

Els efectes (conseqüències jurídiques) del contracte tenen lloc en la mesura i manera pactada ja que és la voluntat privada la que determina la regulació de l'obligació i obligacions nascudes de la mateixa (tant en la seva existència com en el seu contingut i abast) ("tenen força de llei").

El contracte és un acte jurídic bilateral lo que es tradueix en que com a mínim, en ell concorren dues (o més) parts contractants que tenen o representen els diferents interessos en joc que es prenen en consideració en el mateix, preferentment de caràcter patrimonial (convé notar que l'acte unilateral, d'una sola persona, no és contracte). No s'ha d'oblidar que el contracte està concebut com el mitjà jurídic idoni per dur a terme l'intercanvi de béns i serveis i les mutacions jurídic-reals en el tràfic econòmic entre les persones; en aquest sentit s'insereix, sempre, en el Dret Patrimonial (la teoria general del contracte i el seu concepte s'estudien a les Lliçons dedicades a les relacions contractuals).

D'aquesta caracterització i de la constatació de ser una de les fonts més habituals (la major part dels actes jurídics que s'executen cada dia són contractes) se segueix la importància del contracte en la formulació de les fonts de les obligacions i que en l'actualitat es prefereixi acudir a distingir entre les fonts contractuals i les no contractuals per donar cabuda a tots els fets o causes possibles, en lloc del llistat que sempre és insuficient i incomplet.

El contracte com a consentiment a obligar-se alberga diferents continguts per raó dels interessos econòmics i l'objecte sobre el qual versa que donen lloc als que s'anomenen els tipus contractuals, és a dir els diferents contractes concrets a través dels quals té lloc l'intercanvi. En el Codi civil de Catalunya la regulació de cada tipus contractual es fa agrupan-les conforme a aquests criteris esmentats. En el Títol II del Llibre VI, es distingeixen, els següents: Contractes amb finalitat de transmissió (capítol 1); Contractes sobre activitat aliena (Capítol 2); Contractes sobre objecte aliè (Capítol 3); Contractes aleatoris (Capítol 4); Contractes de cooperació (Capítol 5) i Contractes de finançament i garantia (capítol 6).

4. LES FONTS NO CONTRACTUALS

D'acord amb el criteri de classificació que pren com a dada que el fet del què neix l'obligació sigui un acte jurídic voluntari bilateral (el contracte) o no, en el si de les fonts no contractuals es comprenen tots els altres fets voluntaris i lícits que no poden reconduir-se al contracte i els fets il·lícits dels que neixen obligacions. D'aquestes s'exclou a la llei que, a més de com a font pròpia, actua com a clàusula de tancament.

Entre les fonts no contractuals s'inclouen, per descomptat, les fonts diguem-ne clàssiques (les heretades del Dret Romà) que encara perviuen en els ordenaments civils: la categoria dels quasicontractes i dins dels actes il·lícits, els delictes i els quasidelictes (art. 1089 CC). No obstant això, en aquesta explicació, atès que l'obligació a la qual dóna naixement el delicte i el quasidelicte és la mateixa (la de respondre civilment del dany) es tracten les dues conjuntament.

4.1. Els quasicontractes

La categoria dels quasicontractes, pròpia del Dret romà, en els ordenaments jurídics moderns a partir de la codificació civil apareix com a residual dins de la que s'insereixen els supòsits que donen lloc al naixement d'obligacions voluntàries, lícites però en els que no concorren els requisits per a ser contractuals i que tampoc s'insereixen o tenen cabuda en altres figures jurídiques. El terme de quasicontracte significa, literalment, com a contracte; és a dir obligacions que podrien ser contractuals.

Es defineix als quasicontractes com aquells fets lícits i purament voluntaris, dels quals resulta obligat el seu autor envers un tercer i de vegades una obligació recíproca entre els interessats (art. 18887 CC). D'aquesta descripció es segueix que són notes que identifiquen al quasicontracte:

1) Que es tracta, a diferència del contracte que és un acte jurídic bilateral, d'un fet lícit i voluntari sempre unilateral. El quasicontracte no aconsegueix la consideració de contracte perquè no hi ha acord de voluntats (consentiment). Però més que un simple fet, és un actuar voluntari unilateral que es projecta en l'esfera patrimonial d'una altra o altres persones i, a més lícit el que s'entén com aquell que no provoca un dany (el que el diferencia del delicte i del quasidelicte).

2) Que no comporta una declaració de voluntat dirigida a obligar-se (la promesa unilateral no és un quasicontracte). Es parteix del que ja s'ha produït o realitzat sense que, prèviament, hi hagi una necessitat jurídica de realitzar una determinada conducta (és a, dir, que no existeix obligació).

3) Que està desvinculat, en principi, de la noció d'intercanvi i de la posada en pràctica del principi d'autonomia de la voluntat. Encara que, com s'ha dit, és un acte voluntari i sense voluntat no hi quasicontracte, en aquest cas l'eficàcia que dimana del mateix es configura per la llei (qui l'executa no pot determinar l'abast ni el règim).

4) Del que resulta una obligació per al seu autor i de vegades una obligació recíproca entre els interessats. L'obligat és qui porta a terme l'acte voluntari a càrrec del que neix l'obligació que correspongui; però també pot donar-se que a més de l'autor neixi obligació a càrrec de la persona que es beneficia del mateix.

En els textos legals s'acostumen a incloure en aquesta categoria el cobrament de l'indegut (art. 1895-1901 CC) i la gestió oficiosa de negocis (arts. 1888-1894 CC). El cobrament de l'indegut l'estudiem a la lliçó corresponent al compliment de l'obligació; pel que fa a la gestió de negocis, en el Codi Civil de Catalunya, apartant-se de la sistemàtica tradicional, com adverteix el Preàmbul de la Llei 3/2017 del Llibre Sisè, s'insereix en el capítol segon (contractes sobre activitat aliena) com una institució residual del contracte de mandat (arts. 622-40 a 622-42 CCCat) i s'estudia en seu de contractes de gestió.

4.2. La responsabilitat civil

En l'enumeració clàssica de les fonts s'efectuava una distinció entre les obligacions civils nascudes de delicte i les que es produïen a conseqüència dels denominats quasidelictes (com de delicte). La línia divisòria entre ells es traça atenent a la qualificació jurídica de la conducta que origina l'obligació. No obstant això, com s'ha avançat, en ambdós casos l'obligació que neix és la mateixa, encara que la norma aplicable no ho sigui, d'aquí que se les consideri conjuntament. L'obligació originada és la de reparar el dany ocasionat, el que s'identifica com respondre civilment del mateix.

Mentre les obligacions civils que neixin dels delictes es regiran per les disposicions del Codi Penal (art. 1092 CC), els altres actes o omissions il·lícits en què intervingui qualsevol gènere de culpa o negligència (art. 1089 CC) quan no estiguin penats per la llei, és a dir no siguin constitutius de delicte, se sotmeten a les disposicions previstes per a les obligacions que neixen de la culpa o negligència en les lleis civils (són les dels articles 1902-1910 CC) (art. 1093 CC). En aquest grup de preceptes es regula l'anomenada responsabilitat civil extracontractual o *aquiliana* (que s'estudia més endavant en la Lliçó 15).

La remissió a la legislació penal comporta que:

1) La qualificació del que sigui delicte ha de fer-se conforme al que disposa el Codi Penal. Només són delicte els actes tipificats com a tals per aquesta norma.

2) Només pot néixer una obligació civil derivada de delicte en els casos en què la norma penal prevegi la seva existència i no en un altre cas. És a dir que l'obligació no és general sinó que depèn de cada cas concret.

Quina és l'obligació que pot generar el delicte o la falta? L'execució d'un fet descrit per la llei com a delicte obliga a reparar, en els termes previstos en les lleis, els danys i perjudicis que ha causat (art. 109.1 CPen). Aquesta obligació està regulada en els articles 109 a 125 del Codi Penal. També, la Llei d'Enjudiciament criminal disposa que de tot delicte neix acció penal per al càstig del culpable, i pot néixer també acció civil per a la restitució de la cosa, la reparació del dany i la indemnització de perjudicis causats pel fet punible (art. 100 i la regula en els arts. 100-117 LECri). El perjudicat pot optar, en tot cas, per exigir la responsabilitat civil davant la jurisdicció civil (art. 109.2 CPen).

Excepte en els extrems als quals es refereix la remissió analitzada, s'ha dit ja, l'obligació nascuda és una obligació civil i no diferent, quant al seu fonament i configuració, de la que es deriva de l'il·lícit civil (quasidelicte).

El quasidelicte, també anomenat il·lícit (delicte) civil, es configura com a font de les obligacions, entre els altres actes o omissions il·lícits en què intervingui qual-sevol gènere de culpa o negligència (al·ludits en l'art. 1089 CC).

La responsabilitat comporta que qui, per acció o omissió, intervenint culpa o negligència, causa dany a un altre, està obligat a reparar-lo (obligació d'indemnitzar els danys i perjudicis ocasionats) (art. 1902 CC).

5. LA VOLUNTAT UNILATERAL

En l'enumeració clàssica de les fonts de les obligacions dels Codis noucentistes no es va acollir de manera expressa la voluntat unilateral entre elles, encara que algun text codificat, *a posteriori*, si ho hagi fet.

Quan es parla de la declaració de voluntat com a font de les obligacions es fa referència a la possibilitat que puguin sorgir obligacions de la mera i simple voluntat individual d'una persona, de manera que de la mateixa es derivi una vinculació per qui l'emet i el naixement d'un dret de crèdit en favor de les persones que compleixen el que s'indica en la mateixa. Conceptualment la declaració unilateral se separa del quasicontracte perquè comporta la voluntat de produir obligació mentre que en aquest el que existeix és l'execució d'una prestació, i se separa del contracte perquè aquest comporta com a mínim, la concurrència de dues declaracions de voluntat (l'acord contractual).

El que promet que donarà un premi a qui trobi la joia que va perdre, està obligat a pagar-lo? Qui es presenta a un concurs (literari, artístic, d'investigació...) pot exigir a l'organitzador el lliurament del premi?

La problemàtica jurídica de l'eficàcia obligatòria de la declaració unilateral de la voluntat està lligada, a més, a la qualificació jurídica que hagi de fer-se d'ella i la possibilitat d'admetre fonts de l'obligació diferents a les considerades expressament en les normes. Si l'enumeració comporta un *numerus clausus* o no. En l'actualitat s'entén que l'elenc de fonts no és taxat i que no hi ha problema per considerar altres fets.

La major part dels Codis civils europeus, influïts pel Code civil francès no van recollir la voluntat unilateral entre les fonts de les obligacions. En aquestes formulacions, d'acord amb els postulats de la codificació, la voluntat privada productora d'obligacions és, per excel·lència, el contracte, no s'admet que sense acord (contracte) puguin existir obligacions.

Amb posterioritat, però, en Codis civils més moderns es regula en determinats supòsits, però no està recollida, pel moment, ni en el Codi civil espanyol ni en el Codi civil català.

Malgrat el silenci legal és evident que en la realitat social es produeixen, amb freqüència conductes unilaterals que no es poden enquadrar entre les altres fonts, la finalitat de les quals és provocar l'existència d'una obligació (en particular la promesa pública de recompensa i el concurs amb premi). I, també, els tribunals han resolt supòsits en què es plantejava l'eficàcia obligatòria d'aquestes declaracions unilaterals.

Enfront de les tesis negatives, les que admeten el valor i abast obligatori es funden en la realitat pràctica, la freqüència i en el principi de bona fe.

El supossit clar, pel que fa a la independència de qualsevol altra figura jurídica en el qual es discuteix l'eficàcia obligatòria de la voluntat unilateral, en el nostre sistema, és el de la promesa pública de recompensa i les variants seves; les altres declaracions unilaterals es recondueixen, sempre, a l'àmbit del contracte, encara que aquesta solució no sigui la més adequada (així, en el cas de la promesa de pagament, i en el reconeixement de deute). Seria desitjable que, en una futura reforma, s'acollís definitivament com a font de l'obligació la voluntat unilateral.

La Llei 7/1996, de 15 de gener, d'Ordenació del Comerç Minorista, per a l'activitat de venda dels comerciants als destinatais finals considera que "l'oferta pública de venda o l'exposició d'articles en establiments comercials constitueix al seu titular en l'obligació de procedir a la venda en favor dels demandants que compleixin les condicions d'adquisició, atenent, en el segon cas, a l'ordre temporal de les sol·licituds "(art. 9.1.). Opta la llei per considerar que la declaració de voluntat és una oferta contractual i obliga a celebrar el contracte una vegada que el destinatari final ha manifestat la seva voluntat (ha acceptat).

En la promesa pública de recompensa una persona s'obliga a efectuar una concreta prestació en favor d'aquella o aquelles persones, indeterminades per endavant, que despleguin una activitat o aconsegueixin determinat resultat. Les notes que la caracteritzen són:

1) És una promesa dirigida a un nombre de persones indeterminades (*ad incertam personam*), a diferència de l'oferta contractual que es dirigeix a l'altra part (ja determinada);

2) Es divulga i coneix a través de mitjans de comunicsación amplis (un diari, la ràdio, la televisió, internet... etc), de manera que per la

seva revocació s'exigeix que es facin servir els mateixos mitjans de comunicació pública.

3) Es fa a favor dels destinataris que puguin realitzar l'activitat o obtenir el resultat que s'assenyala, sempre que no estiguin obligats a aconseguir-ho en virtut de la seva situació (per exemple, ofereixo 300 € a qui trobi la documentació que m'han robat, però no compleix aquests requisits el policia que sí que està obligat, pel seu càrrec, a fer-ho), i

4) El promitent s'obliga *ex novo*, és a dir, prèviament a l'emissió de la declaració no està obligat per una relació jurídica anterior. El deute neix de la sola voluntat del promitent, sense necessitat de l'acceptació de l'altra possible part.

La jurisprudència del Tribunal Suprem no és unitària. D'una banda, certes resolucions admeten l'eficàcia però no per la declaració unilateral sinó perquè concorria una altra font en el cas en concret; en altres casos, s'ha admès l'eficàcia obligatòria entenent que s'estava en la fase de formació del contracte (tractes preliminars o oferta contractual) i, en definitiva, a través d'identificar-la al contracte unilateral. Per al que exigeix: a) Que la persona que pretén el compliment de la promesa l'accepti. Acceptació que s'entén que existeix quan s'ha dut a terme l'activitat, o s'ha obtingut el resultat descrit pel promitent en emetre la declaració. D'aquesta manera la declaració unilateral es considera com una de les declaracions de voluntat del contracte, en concret l'oferta contractual. b) Que hi hagi una causa (art. 1274 CC) que justifiqui el naixement de l'obligació. Així, per tant, es pensa en el contracte, en aquest cas unilateral (art. 1261.3° CC).

La doctrina dels autors més recent considera que l'eficàcia de la promesa es produeix en dues etapes:

1ª. La vinculació del promitent que té lloc des que es fa pública la declaració de voluntat. En aquest moment el promitent ja està obligat i si vol revocar-la haurà de fer-ho utilitzant els mateixos mitjans de publicitat que va emprar per emetre-la. Existeix, per tant, un temps raonable en el qual no pot produir-se la revocació; i

2ª. La del compliment d'allò que s'ha promès que neix quan s'ha executat la conducta o obtingut el resultat per la persona que exigeix la prestació. La realització de l'activitat descrita pel promitent (trobar la joia) s'entén que provoca el naixement del dret de crèdit (exigir el premi) fins i tot encara que es desconegués que existia la promesa en el moment de dur-la a terme.

Un supòsit particular de promesa és el concurs amb premi, la diferència radica que aquí, encara que concorren totes les notes d'aquella, a més el promitent dicta unes regles o instruccions (les bases del concurs) a què s'ha de sotmetre el destinatari i que fan que no estigui dirigida *ad incertam personam* sinó a un grup més concret format pel cercle de persones que reuneixen les condicions de les regles del concurs.

En tot cas, per als concursos s'ha de tenir en compte que la normativa de consum, a més d'exigir els requisits específics de caire administratiu, reconeix l'obligació derivada del compliment de les bases i la realització de l'activitat. S'entén per concurs l'oferta de premis en què la selecció dels guanyadors depèn de l'habilitat o la perícia dels concursants (art. 211-13.1 Codi de Consum). El lliurament efectiu o la posada a disposició del premi s'ha de fer en el termini d'un mes des que és coneix el guanyador o guanyadora del concurs (art. 211-13.3 Codi de Consum).

Altres actuacions de voluntat unilateral de certa freqüència són la promesa de pagament i el reconeixement de deute. Pel que fa a la promesa de pagament, en estar vinculada a l'existència d'una obligació prèvia no planteja el problema típic de la voluntat unilateral (en què l'obligació neix *ex novo*). En el reconeixement de deute, també, la voluntat unilateral versa sobre una relació obligatòria ja existent, de manera que no s'està, tampoc davant el supòsit típic.

Classes d'obligacions (I)

1. OBLIGACIÓ DE DONAR, FER I NO FER

Tota obligació consisteix en donar, fer o no fer alguna cosa (art. 1088 CC). Aquesta classificació pren com a referència el contingut de la conducta del deutor i és pressupòsit de les altres que es fan en relació amb la prestació.

1.1. L'obligació de fer

És aquella en la qual el deutor es compromet a desplegar una determinada activitat bé només aquesta ja obligant-se a un resultat. Aquesta obligació també s'anomena obligació d'activitat.

S'ha de distingir, a més, entre:

a) Les obligacions personalíssimes: són aquelles en les que en la determinació de la prestació es té en compte la persona del deutor i aquest les identifiquen, de manera que si no la porta a terme el deutor existeix incompliment (arts. 1161 i 1595 CC) (es contracta a un prestigiós cantant perquè actuï).

b) Les obligacions personals, en què és indiferent qui executi l'activitat, si el deutor o un tercer ja que el que interessa és que la prestació es dugui a terme i no qui ho faci (ex, no importa l'operari del taller que arregli el cotxe sinó que es repari).

Si l'obligat a fer alguna cosa no la fa s'ha de fer executar al seu càrrec (art. 1098 CC) i quan l'obligat a fer una cosa no ho fa es poden embargar els béns del deutor, i si l'obligació és personalíssima s'avaluarà econòmicament (arts. 706.2 i 709.1 LEC). Hi ha obligacions en què el jutge pot suplir, amb la seva activitat, la de la part que es nega (per ex, atorgar escriptura pública o el consentiment, art. 708 LEC). Les obligacions de fer no poden durar indefinidament, és nul·la l'obligació de fer que s'estengui a tota la vida de la persona (art. 1583 CC), d'una altra manera l'obligació de fer perpètua esdevindria en una mena d'esclavitud. El prohibit és la durada perpètua del vincle obligatori, és vàlid pactar un temps més o menys llarg.

1.2. L'obligació de no fer

És el compromís de l'activitat passiva o conducta negativa que ha d'observar el deutor i pot consistir en: a) Una abstenció: no realitzar una conducta que es podria fer si no existís obligació (ex, compromís de no pujar els preus) o en b) Una obligació de suportar (*patir*): el deutor es compromet a tolerar una activitat que porta a terme el creditor, sense oposar-se a ella (ex, que el veí faci servir el camí que està dins de la meva finca). El contingut del dret de crèdit és que el deutor no faci l'acte contrari.

En cas d'incompliment s'executa a costa del deutor i se l'obliga a desfer el mal fet, arribant si és el cas, a avaluar-se econòmicament (arts. 1098, 1099 CC i 710 LEC). Tampoc es poden pactar de manera perpètua.

1.3. L'obligació de donar

L'obligació de donar té caràcter positiu i consisteix en el lliurament d'una cosa concreta, l'objecte de la prestació aquí és el conjunt d'actes necessaris que ha d'executar el deutor perquè el creditor prengui possessió de la cosa que s'ha compromés.

La prestació de donar té diferent significat segons la finalitat; pot ser

a) L'obligació de donar mitjançant la qual es compromet la transmissió de la propietat o d'un altre dret d'abast real sobre la cosa (la transmissió de la titularitat), o

b) L'obligació de donar que transmet la possessió de la cosa.

Quan l'obligació és d'un o altre tipus depèn de la relació obligatòria concreta (per ex, la de la compravenda és de transmissió, art. 621-1 CCCat, i la de l'arrendament de coses és de possessió, art. 1554 CC).

Són regles comunes a totes les obligacions de donar

a) El deutor ha de conservar la cosa amb la diligència d'un bon pare de família (mitjana) fins que es compleixi l'obligació (art. 1094 CC).

b) Quan s'hagi de lliurar la propietat d'una cosa, el creditor té dret als fruits de la cosa des que neix l'obligació (art.1095 CC), tret que la cosa sigui indeterminada o genèrica en què és a partir de la determinació o concreció.

c) És possible l'execució *in natura*: si la cosa està en el patrimoni del deutor aquesta es lliura i s'executa a costa seva (art. 1096 CC), si no existeix es procedeix a l'embargament de béns del deutor (art. 701, 702 i 703 LEC), també el creditor pot demanar alhora el rescabalament dels danys i perjudicis ocasionats (art. 1101 CC). Si l'obligat es constitueix en mora o s'ha compromès a lliurar la mateixa cosa a dues o més persones diverses, són del seu compte els casos fortuïts fins que es realitzi el lliurament (art. 1096.3 CC).

d) L'obligació de donar una cosa determinada comprèn la de lliurar tots els seus accessoris, tot i que no s'hagin esmentat (art. 1097 CC).

Quan l'obligació de donar sigui de transmetre la propietat o un altre dret real (la titularitat d'un dret real) per complir aquesta obligació es requereix capacitat d'obrar i poder de disposició del deutor (art. 1160 CC). En l'obligació de lliurar possessió el deutor per complir només ha de ser posseïdor de la cosa no necessita poder de disposició. El lliurament de la possessió pot tenir dos significats jurídics diferents bé per complir el contracte (lliuro la cosa en l'arrendament de cosa) o com liquidació de la situació contractual (torno la cosa que tenia quan s'acaba el contracte o relació).

1.4. L'obligació de mitjans i l'obligació de resultat

En el si de les obligacions de fer s'acostuma a distingir entre l'obligació de mitjans i l'obligació de resultat.

Obligació de mitjans és la pura prestació d'una activitat o fer. El deutor compleix amb dur a terme la conducta compromesa, desplegar tots els mitjans per aconseguir la finalitat que es preten posant la diligència o perícia que correspongui o que s'hagi pactat, de manera que respon per negligència (si es prova) i no per la falta del resultat (que queda fora de l'obligació). El metge s'obliga a efectuar el diagnòstic i procurar que es proporcioni el tractament que sigui més adequat, però no s'obliga a garantir la recuperació absoluta del malalt; l'advocat s'obliga a posar els coneixements necessaris per defensar el seu client, però no assegura el resultat del judici.

Obligació de resultat és aquella en la qual el deutor compromet una activitat amb un resultat concret, no només ha d'obtenir una conseqüència sinó que fins i tot, segons el cas ha de lliurar (obligació de donar) una cosa al creditor. Si el resultat no s'obté l'obligació s'incompleix. Aquest resultat pot consistir bé en la realització d'un treball sobre alguna cosa que ja existia (per ex., reparar una cosa) o en la creació d'una obra nova (per ex. la construcció d'una casa, l'elaboració d'un informe).

2. OBLIGACIONS GENÈRIQUES I ESPECÍFIQUES

En les obligacions de donar segons com s'hagi designat el bé que s'ha de lliurar es distingeix l'obligació genèrica de l'específica.

S'anomena obligació específica aquella en què s'ha de lliurar una cosa concreta i determinada ja des del naixement de l'obligació. En contrast, l'obligació genèrica és aquella en què la cosa no es designa de forma individualitzada sinó a través de la seva pertinença al gènere. En inici, l'obligació no està determinada (hi ha una relativa indeterminació) i s'ha de procedir, amb posterioritat però abans del seu compliment, a la seva concreció o especificació.

En el règim jurídic de l'obligació genèrica convé destacar les següents dades:

a) El gènere no impedeix que l'obligació pugui complir-se en via d'execució forçosa. La condemna es pot fer efectiva mitjançant l'adquisició de les coses pertanyents al gènere, a costa del patrimoni del deutor

b) Quan la qualitat i circumstàncies no s'hagin expressat el deutor ha de lliurar una cosa de la qualitat mitjana, perquè el creditor no pot exigir la qualitat superior, ni el deutor lliurar la inferior (art. 1167 CC)

c) Un dels caràcters més rellevants de l'obligació genèrica és el derivat del principi *genus numquam perit* d'acord amb el qual s'entén que l'obligació mai s'extingeix perquè no és possible la desaparició de totes les coses que pertanyen al gènere, de tal manera que sempre és possible l'obtenció de coses a costa del patrimoni del deutor.

d) Perquè hi hagi l'obligació n'hi ha prou amb la referència al gènere però perquè es pugui complir cal procedir a l'especificació de la cosa, és a dir convertir l'obligació genèrica en específica. L'especificació (concreció) la pot fer el deutor, el creditor, tots dos o un tercer designat per aquests.

3. OBLIGACIONS ALTERNATIVES I FACULTATIVES

En les obligacions alternatives té lloc una relativa indeterminació de la prestació atès que en el moment del seu naixement es delineen diverses possibles prestacions (de contingut igual o diferent: donar, fer o no fer) qualsevol de les quals pot ser objecte de compliment per el deutor. No obstant això, en fase de compliment, de les diverses prestacions només una és exigible i s'ha de complir (art. 1131. CC) (ex, et venc el meu rellotge de polsera, o un cavall de carreres, o 100 litres de vi; la carta d'un restaurant comporta diverses possibilitats de prestació —els diferents plats—).

En l'obligació alternativa hi ha una sola obligació i no una pluralitat d'obligacions, encara que inicialment diverses prestacions són possibles, es coneix, des de la constitució que una sola serà la deguda (*plura res in obligatione, un autem res in solutione*).

En aquestes obligacions s'ha de distingir una doble fase:

La primera coincideix amb la constitució de l'obligació, en la qual aquesta neix amb diverses possibilitats de prestació. En aquesta fase la prestació està relativament determinada, tot i que cadascuna de les prestacions ha d'estar identificada i reunir els requisits que s'exigeixen a la prestació perquè pugui existir com a tal (art. 1132.2 CC). La relativa indeterminació no impedeix el naixement.

La segona és la fase de concentració de la prestació, en la qual una d'elles passa a ser la que ha de complir el deutor. La concentració de l'obligació permet determinar quina de les prestacions és la que ha de realitzar el deutor. La concentració ha de ser anterior al compliment i pot produir-se anticipadament a aquest o ser simultània. Té lloc:

a) Quan totes les prestacions menys una hagin desaparegut sense haver intervingut culpa del deutor ni del creditor en que es concentra en la que queda (arts. 1182 i ex 1134 i 1136 CC *a contrari sensu*).

b) Mitjançant l'exercici del dret d'elecció, la facultat atorgada a una de les parts o a un tercer per a determinar la prestació exigible. Si no hi ha pacte, per aplicació del principi del *favor debitoris* l'elecció correspon al deutor (art. 1.132, 1 CC), tret que resulti una altra cosa de les circumstàncies que acompanyin l'obligació. L'exercici del dret d'elecció s'efectua a través d'una declaració de voluntat unilateral (expressa o tàcita) que el legitimat ha de comunicar a l'altra part (arts. 1133 i 1136,1 CC), de manera que només produeix efecte a partir de la notificació, no és necessària l'acceptació, encara que cal rebutjar-la quan l'oferta no s'ajusti a les previsions que es van assenyalar en el moment de contraure l'obligació o quan recaigui en prestacions que siguin impossibles, il·lícites o que no hagin pogut ser objecte de l'obligació (art. 1132.2 CC).

c) Es regula amb especial atenció la fase que discorre des del moment de constitució de l'obligació a aquell en què té lloc la concentració, en particular amb referència a la pèrdua o destrucció d'alguna de les prestacions. Es distingeix en atenció a qui correspon el dret d'elecció

– L'elecció correspon al deutor (arts. 1134 i 1135 CC):

1. Si es destrueixen totes les coses, sense culpa del deutor, menys una, automàticament es concentra en aquesta. Desapareix el dret d'elecció.

2. Quan desapareixen totes les coses per culpa del deutor o és impossible el compliment de l'obligació, el creditor tindrà dret a la indemnització de danys i perjudicis (art 1135 CC).

El creditor no corre amb el risc de l'obligació perquè el deutor continua obligat a lliurar la indemnització pel valor de l'última cosa que hagués desaparegut, o de l'últim servei que s'hagués fet impossible. No és, en veritat, una indemnització dels danys sinó que se substitueix l'objecte a lliurar pel deutor per una suma de diners (art. 1135.2 CC). Si hi ha hagut danys sembla lògic pensar que el creditor pot exigir-los.

3. No es preveu el què passa quan només algunes desapareixen per culpa del deutor i subsisteixen diverses. En aquest supòsit es redueix el dret d'elecció del deutor a les què resten.

4. Tampoc es diu res sobre el criteri a seguir quan la pèrdua de la cosa es deu a culpa del creditor. Es pot qualificar tal conducta com a cas fortuït de manera que el deutor compleix bé triant entre les prestacions restants; però també és possible argumentar que el deutor pot triar entre lliurar el valor (preu) de l'última que es va fer impossible o qualsevol de les que quedin.

– L'elecció correspon al creditor (art. 1136 CC)

1. Si alguna de les coses s'ha perdut per cas fortuït, el creditor pot triar entre les que quedin i si només queda una l'obligació es concentra en aquesta.

2. Si alguna de les coses s'ha perdut per culpa del deutor, el creditor pot triar entre les restants o el valor de la que ha desaparegut per culpa del deudor.

3. Si es perden totes les coses per culpa del deutor, el creditor pot triar el valor econòmic de qualsevol d'elles.

4. No s'estableix criteri per als casos de pèrdua de la cosa deguda a culpa del creditor. S'ha d'entendre que el creditor redueix el seu dret d'elecció i no pot reclamar la que es va fer impossible per culpa seva i el deutor pot demanar indemnització pel valor de l'objecte perdut.

Aquestes regles s'apliquen també quan entre alguna de les alternatives existeixin obligacions de fer o de no fer (art. 1136 in fine).

La *facultas solutionis* és el poder que el creditor atorga al deutor perquè, arribat el moment de complir, pugui alliberar-se realitzant una prestació diferent de la compromesa.

Es diferencia de l'obligació alternativa en que en aquesta hi han diverses possibilitats de prestació que es concentren en un moment posterior, sent només una la deguda (*plura res in obligatione, una autem res in solutione*); mentre que a la facultativa només hi ha una única prestació deguda i exigible, perfectament configurada, però amb la facultat d'alliberar-se, el deutor, en el moment del compliment, mitjançant la substitució de l'objecte del mateix (*una res in obligatione, plura res in solutione*).

4. LES OBLIGACIONS DE DINERS

4.1. Concepte, requisits i classes

L'obligació de diners o obligació pecuniària és aquella en la qual el deutor es compromet a lliurar una determinada suma de diners al creditor, pel seu valor nominal, és a dir el fixat pel sistema monetari (que no ha de coincidir amb el poder adquisitiu) i que es tradueix en una quantitat d'unitats monetàries de curs legal. No són deutes de diners aquells en què el deutor es compromet a lliurar unes determinades monedes considerades en si mateixes com a coses materials (mercancies) i no com a representatives d'un valor de canvi (ex, monedes de la II Republica). En aquest cas la moneda és una cosa específica.

Els caràcters comuns dels deutes de diners són:

a) Que sempre són un deute que representa un valor i alhora deute de quantitat ja que el valor es concreta en una moneda comptable determinada de curs legal;

b) Que, en principi, no importa la moneda específica en què s'hagi contret l'obligació. Qualsevol moneda de curs legal a Espanya pot ser objecte (art. 1170 CC).

c) No es pot donar la impossibilitat de compliment (cfr. art. 1182 CC) per pèrdua de la cosa, perquè el diner és un valor que representa el poder adquisitiu (la capacitat patrimonial) de la persona, que, com a tal no pot desaparèixer. Diferent és que el deutor no pugui o no tingui la quantitat de monedes que hagi de lliurar, és a dir es trobi en situació d'insolvència. La insolvència no provoca l'extinció de l'obligació sinó l'incompliment, el deutor continua obligat des del moment en què respon del compliment de les seves obligacions no només amb els seus béns presents sinó amb els futurs (art. 1911 CC).

En les obligacions de diners es distingeixen els següents tipus:

1. Deute dinerari simple o comú: és l'obligació que pren com a objecte una suma de diners que s'ha de pagar amb el lliurament de la quantitat de monedes que estan en curs legal i forçós del lloc on s'ha de complir l'obligació i pel seu valor nominal. Comprèn, per tant el deute en moneda nacional (de curs legal i forçós: l'euro). Es la genuïna obligació de diners.

2. Deute especificada o d'espècie monetària: el deutor s'obliga a lliurar una determinada suma de diners que s'ha de pagar mitjançant el lliurament de monedes d'una concreta espècie (*debitor debet solvere in moneta praecisa in qua est obligatus*). A aquest tipus d'obligació correspon la pactada en moneda estrangera (dòlars americans, per exemple). Si no és possible el lliurament de l'espècie pactada es compleix bé lliurant la moneda de curs legal i forçós (art. 1170 CC).

3. Deute de valor o deute final: és aquella en la qual, en el seu inici, no està completament fixada la suma de diners a lliurar en el moment del compliment, sinó només consta la referència al valor que s'utilitzarà per a determinar-la (per ex, es lliurarà la suma de diners que correspongui d'acord amb el valor que tingui el dòlar, el yen, el petroli... etc., al mercat, tal dia o el dia del compliment). Aquí cal fixar, per poder complir, l'específica suma de diners.

4.2. Les clàusules d'estabilització

S'entén per clàusules d'estabilització els pactes accessoris que s'afegeixen a les obligacions de diners de pagament periòdic o ajornat, que tenen una certa durada temporal, mitjançant els quals es pretén corregir el principi nominalista preveient les possibles alces o baixes que pugui patir el valor del diner des del moment en què l'obligació es va constituir fins aquell en què s'hagi de complir. Pretenen apropar el valor del diner debut al real poder adquisitiu del mateix al temps del pagament (art. 565-8.2 CCCat).

Es distingeix entre clàusules monetàries i clàusules econòmiques.

Les clàusules monetàries prenen com a criteri de relació el valor que representa una moneda o material preciós; els tipus més freqüents són:

1. Clàusula or i plata: que presenta dues formes:

   a) Clàusula valor or o plata: aquella que pren com a referència un valor amb relació al que el tingui l'or, la plata o un altre metall preciós.

   b) Clàusula or o plata, en la qual les parts es comprometen a dur a terme el pagament en monedes encunyades en or o plata.

2. Clàusula valor moneda estrangera: el valor pres com a punt de referència és el que tingui una moneda determinada a la qual les parts es refereixen directament. El deutor ha de pagar una quantitat de diners en moneda de curs forçós (euros) però pel valor que tingui una altra estrangera (dòlars).

Les clàusules econòmiques prenen com a referència, en general, un determinat valor econòmic de mercat; es poden distingir dos tipus

1. Clàusula de pagament en espècie o mercaderia en la qual el deutor es compromet a pagar en una determinada espècie o mercaderia que substitueix el diner (blat, ferro, petroli); l'obligació és de diners inicialment però el deutor no l'ha de lliurar sinó una cosa diferent, l'espècie determinada. Una altra variant d'aquesta clàusula és la de valor espècie o mercaderia, molt més freqüent. D'acord amb ella, el valor que serveix per actualitzar el poder adquisitiu del diner és el preu de determinats produc tes bàsics del mercat (el petroli, el blat).

2. Clàusules d'escala mòbil o d'índex variable (també anomenades d'indexació): Aquelles en les que no s'altera l'obligació en diners però la quantitat a lliurar es calcula en relació al preu conjunt de determinats salaris o retribucions, o al cost de la vida, o al conjunt de productes bàsics..., etc. Les més freqüents són les que es refereixen a índexs oficials de preus al consum en determinat sector, o al cost de vida (IPC, IPREM...).

4.3. L'obligació d'interessos

Econòmicament l'interès representa el preu o remuneració que es paga per utilitzar un capital aliè. Jurídicament al concepte econòmic se li afegeix la ficció jurídica de considerar-lo com a fruit (civil) d'un determinat bé (un capital en diners) (arts. 511-3, 2 i 541-4, 2 CCCat).

L'interès es diferencia de: a) Les quotes d'amortització ja que aquestes representen els pagaments parcials de devolució del capital rebut; b) Les quotes de participació en guanys o beneficis, aquestes són nous ingressos (lucre) i c) Les rendes, que es caracteritzen perquè no es fonamenten en la productivitat dels diners i fins i tot poden consistir en béns diferents dels diners.

La prestació o obligació d'interessos és:

1. Una obligació dinerària, el deutor s'obliga a pagar una determinada suma de diners.

2. És una obligació accessòria, en el seu naixement i meritació la prestació d'interessos depèn jurídicament de la principal (la del capital dinerari).

3. Els interessos s'han de pactar sempre; el pacte pot ser exprés, o tàcit. Això no obstant, els interessos moratoris no cal pactar-los (cfr. art. 1108 CC).

Atenent a l'origen dels mateixos es distingeix entre:

a) Interessos legals: són els que estableix la llei. Són legals en un doble sentit: és la llei la que estableix l'obligació de pagar-los (així els de l'art. 1108 CC); i en el sentit que és la llei la que determina el tipus, és a dir el criteri a través del que s'estableix la quantia.

b) Interessos convencionals o negocials: són els acordats per les parts i alhora, també, segons el tipus i quantia que convencionalment s'acorda en cada cas concret. En principi, les parts poden fixar la quantia que tinguin per convenient però amb el límit que no poden ser usuraris (quan el creditor ha fixat un preu superior al normal en les operacions de tràfic a la qual està sotmesa la relació obligatòria) o lleonins (quan ha estat fixat aprofitant-se de les circumstàncies del deutor o de la seva inexperiència).

Atenent el seu caràcter es distingeix entre:

a) Interessos moratoris que responen al càlcul de la indemnització de danys i perjudicis produïts per l'incompliment morós del deutor de les obligacions de diners (art. 1108 CC);

b) Interessos punitius o sancionadors: són aquells que s'imposen com a conseqüència d'un procediment judicial de condemna al pagament d'una quantitat de diners líquida (art. 576 LEC).

Quant al tipus si els interessos són convencionals s'ha de tenir en compte el límit imposat per la Llei de Usura. Si els interessos són legals aquest es determinarà anualment en la Llei de Pressupostos generals de l'Estat.

Es parla de anatocismo per fer referència als interessos dels interessos, és a dir a l'acumulació dels interessos ja meritats al capital per produir nous interessos. La norma preveu un cas de anatocismo legal lligat al supòsit de mora del deutor: els interessos vençuts meriten l'interès legal des que són judicialment reclamats, tot i que l'obligació hagi guardat silenci sobre aquest punt (art. 1109.1 CC).

4.4. Les targetes de crèdit: concepte, clases i funcions

La targeta de crèdit és un document materialitzat en un suport de plàstic dotat d'una banda magnètica o un xip informàtic (microprocessador en el que es contenen les dades) que està creat per una empresa especialitzada, per una entitat de crèdit o per un establiment comercial amb la finalitat de que el titular de la mateixa l'utilitzi com mitjà de pagament de les obligacions de diners.

Les funcions de la targeta es refereixen a l'obligació de diners, al seu compliment però a més, algunes permeten la realització d'altres operacións. En tot cas requereix la presentació pel seu titular i el compliment dels requisits (teclejar el PIN i d'altres). En general la targeta de crèdit permet:

- El compliment les obligacions de diner contretes en els establiments adherits a aquest sistema de pagament.
- L'obtenció de diner en metàl·lic.
- La realització d'operacions bancàries, i
- Gaudir dels serveis i beneficis que comporti la targeta (assegurances diverses, accessos a mitjans concrets...etc).

Sota el document que és la targeta es conté un complex entramat de relacions obligatòries a través del que s'aconsegueix la finalitat. En l'estructura de la tarjgeta s'han de distingir els subjectes i les relacions contractuales que expliquen les diferents tipus de targetes.

Subjectes són:

- El titular de la targeta que és, sempre, una persona física. Qüestió diferent és la persona que es fa càrrec econòmic (de les despesses i pagaments) de la targeta, que pot ser una persona jurídica (así, per ex, en les targetes d'empressa). Sempre tè caràcter personalíssim. El titular està vinculat contractualment amb l'entitat emissora i/o gestora de la targeta.

- L'entitat emissora de la targeta i l'entidad gestora de la targeta. La primera entitat és la que la crea o emet i és, en general, la que contola el sistema de pagament, l'entitat gestora es la que l'administra i contracta amb el titular de la targeta i amb l'establiment. Ambdues podem ser la mateixa (American Express, per ex) o no, supòsit més freqüent en que l'entitat gestora (de crèdit, un banc) contracta amb l'entitat emissora perquè l'autoritzi a gestionar la tarjeta (d'aqui, per ex, la Visa que pot estar gestionada per diferents entitats).

- Els establiments adherits al sistema de pagament i que estàn vinculats amb l'entitat emissora i/o gestora de la targeta, en els que es fa el pagament.

Atenent el contigut de la relació obligatòria que vincula al titular de la targeta amb l'entitat emissora i/o gestora es diferencia entre:

- Targetes propiament de crèdit en les que l'entitat emissora i/o gestora s'obliga front al titular de la targeta a concedir un crèdit (que es va reanudant en cada període, mensual o el pactat) destinat al pagament de les deudes dineràries d'aquest contretes en els establiment adherits al sistema. El crèdit el retorna el titular conforme al que s'acordi al contracte.

- Targetes de dèbit: el titular d'un compte bancari disposa i fa operacions en aquella a traves dels terminals automàtics i pot pagar en els establiments concertats. No hi ha crèdit sinó que es diposa del saldo del compte.

- Targetes comercials o de compra: són les que emet un establiment comercial amb la finalitat de que els titulars la facin servir en els seus negocis. Aquesta targeta permet l'ajornament del pagament i l'acumulació de tots els deutes d'el període pactat.

Aquests són els conceptes en sentit pur però s'ha de tenir en compte que, atès que el suport de la targeta (sobretot el component electrònic de la mateixa) ho permet, és possible que en un sol document (la mateixa targeta) es puguin contenir les funcions de crèdit, dèbit i compra. Tot depèn, a més, del que s'hagi pactat entre les parts (les relacions contractuals).

En atenció a les relacions contactuals que es contenen es distingeix entre les targetes:

a) De estructura bilateral: són aquelles en que només existeix la relació entre l'entitat emissora i/o gestora i el titular de la tarjeta i permeten únicament operacions entre elles. Així, les comercials, i les targetes bancaries estrictament (només operacions en el compte i no pagaments).

b) De estructura trilateral en les que hi ha tres subjectes: l'entitat emissora i/o gestora, el titular i l'establiment en el que es paga.

4.5. El diner electrònic

El diner electrònic és un valor econòmic representat comptablement que es pot fer servir com el diner metàl·lic (en les monedes de curs legal) pel pagament d'obligacions de diners, està regulat per la Ley 21/2011 de diner electrònic en la que es norma l'emissió d'aquest diner, i el règim jurídic de les entitats emissores i la supervisió.

S'entén per diner electrònic tot valor monetari emmagatzemat per mitjans electrònics o magnètics que representi un crèdit sobre l'emissor, que s'emet al rebut de fons amb el propòsit d'efectuar les operacions de pagament de l'article 2.5 de la Llei 16/2009, que sigui acceptat per una persona física o jurídica diferent de l'emissor de diners electrònics (art. 1.2 Ley 21/2011).

Els emissors de diners electrònics quan reben el fons emeten diners electrònics pel seu valor nominal. Han de reemborsar al titular del mateix, quan aquest ho sol·liciti, en tot moment i pel seu valor nominal, el valor monetari dels diners electrònics de què disposi. El contracte entre l'emissor de diners electrònics i el titular dels diners ha de contenir clara i explícitament les condicions de reemborsament, incloses les despeses connexes; així mateix ha d'informar d'aquestes condicions al titular dels diners electrònics abans que quedi subjecte a un contracte o oferta (art. 17. 1, 2 y 3 Ley 21/2011). Durant el temps en el qual un titular està en possessió de diners electrònics es prohibeix la concessió d'interessos o qualsevol altre benefici relacionat (art. 18 Ley 21/2011).

El reemborsament pot estar subjecte a despeses únicament si així s'estipula en el contracte i només en algun dels següents casos:

a) Quan es sol·liciti abans de la finalització del contracte.

b) Quan el contracte determini una data de finalització i el titular dels diners electrònics hagi resolt el contracte amb anterioritat a aquesta data.

c) Quan el reemborsament es sol·liciti una vegada transcorregut un any des de la data de finalització del contracte.

Tota despesa ha de ser proporcionada i adequada als costos reals que tingui l'emissor de diners electrònics. Si el reemborsament se sol·licita abans de la finalització del contracte, el titular pot demanar el reemborsament total o parcial (art. 17.4 i 5 Ley 21/2011).

Quan el titular dels diners electrònics sol·liciti el reemborsament en la data de finalització del contracte o fins a un any després de la data:

a) Es reemborsarà el valor monetari total dels diners electrònics que es posseeixi.

b) Quan una entitat de diners electrònics realitzi una o diverses de les activitats diferents de l'emissió de diners electrònic d'acord amb la normativa europea o nacional i es desconegui per endavant el percentatge de fons que es va a utilitzar com a diners electrònics, es reemborsaran al titular dels diners electrònics tots els fons que sol·liciti.

Els drets de reemborsament de les persones físiques o jurídiques que acceptin diners electrònics es regiran per les estipulacions contractuals acordades amb l'emissor de diners electrònics. No obstant això, el que preveuen els apartats 4, 5 i 6 de l'article 17 els serà d'aplicació quan sol·licitin el reemborsament en la seva condició de titulars de diners electrònics (art. 17. 6 i 7 Ley 21/2011).

Lliçó 5
Classes d'obligacions (II)

1. PLURALITAT DE PRESTACIONS

En el cas que concorrin en el mateix moment diverses obligacions es fa necessari fixar el criteri que faciliti l'ordenació entre elles per determinar la situació per tal d'aplicar les regles que corresponguin. Encara que, directament, les normes, en contrast amb altres obligacions estudiades no individualitzen aquestes classes d'obligacions es manifesta el seu règim jurídic en les regles d'algunes relacions obligatòries concretes, d'aquí l'interès en que quedin clars els conceptes.

1.1. *Obligacions principals, accessòries i subsidiàries*

Un d'aquests criteris d'ordenació és el que pren com a referència el caràcter autònom o independent de l'obligació.

D'acord amb l'esmentat índex quan coexisteixen diverses obligacions es qualifica com a obligació principal la relació obligatòria que existeix i subsisteix sense necessitat d'una altra relació; és a dir, que és autònoma i independent. La majoria de relacions obligatòries són d'aquesta classe.

La relació obligatòria accessòria és aquella la existència i subsistència de la qual depèn d'una obligació principal. El deutor de l'obligació principal i el de l'accessòria és el mateix. La dependència de l'obligació accessòria de la principal es manifesta en que tot el que afecta aquesta repercuteix en aquella (*accesorium sequitur principale*) però no a l'inversa. Si l'obligació principal s'extingeix o és nul·la també s'extingeix o és nul·la l'accessòria (art. 1155 CC). Supòsits d'obligacions accessòries són la clàusula penal (que s'estudia en la Lliçó 6) i l'obligació d'interessos.

La noció de subsidiarietat (obligació subsidiària) es formula a partir de la d'accessorietat, ja que es pren d'ella que aquesta relació obligatòria s'addiciona a la principal de la qual depèn. La dada particular es manifesta respecte dels subjectes de la relació que a diferència de l'accessòria en la qual el deutor és el mateix que el deutor de la principal, en l'obligació subsidiària el deutor és una altra persona diferent. La relació obligatòria subsidiària per excel·lència és la de fiança (que s'estudia en Lliçó 6), en la qual una persona (el fiador) s'obliga a pagar o complir pel deutor en cas de no fer-ho aquest (art. 1822 CC), és a dir no ha de complir en primer lloc, tot i que es comprometi a fer la mateixa prestació. Qualsevol vicissitud que concorri en l'obligació principal reverteix en l'obligació subsidiària (art. 1847 CC).

1.2. Obligacions fraccionades i obligacions periòdiques

La relació obligatòria, com es va estudiar *supra,* per raó de la permanència pot ser instantània, que és aquella en la qual gairebé no existeix lapse temporal entre el naixement, existència i compliment; o duradora en la qual persisteix el vincle durant el temps pactat o el que correspongui d'acord amb la seva naturalesa o al que disposi la llei. És en aquesta en la que es diferencia entre les obligacions duradores i l'obligació amb prestació fraccionada, a les quals s'afegeixen les obligacions duradores amb prestacions periòdiques.

En el supòsit de la prestació fraccionada succeeix que, per pacte entre les parts es divideix la prestació. Aquesta partició no implica la multiplicació de l'obligació que continua sent la mateixa i única sinó una mera distribució temporal del compliment. D'aquí que l'incompliment de qualsevol dels terminis repercuteixi en l'obligació així com la situació contrària (quan es prova que s'ha complert un termini es presumeixen pagats els anteriors, llevat que es demostri el contrari, art. 1110 CC).

Les prestacions periòdiques es delimiten com a actes deguts d'idèntic contingut que neixen en moments temporals successius d'un únic supòsit d'eficàcia duradora. No hi ha vincles plurals perquè és únic però aquí cada prestació periòdica té caràcter propi i actua de manera autònoma tant dels anteriors com dels posteriors. Així la renda en el contracte d'arrendament (que es paga mes a mes), la pensió en el contracte d'aliments (art. 624-8 CCCat) i el violari (art. 624-1 CCCat).

2. UNITAT I PLURALITAT DE VINCLES

La diversificació, en aquest cas, a diferència dels analitzats té en compte, davant la pluralitat d'obligacions, el nombre de vincles que es detecten en la relació. No obstant això, és una classificació que preferentment té cabuda en les relacions obligatòries contractuals.

El contracte, com a font de relacions obligatòries, sempre és bilateral ja que la relació s'estableix, sempre i necessàriament, entre dues parts (qui ofereix i qui accepta) com a mínim (art. 1262 CC). Ara bé, d'aquest, com a font d'obligacions, poden sorgir obligacions només per a una de les parts, cas en el que s'està davant un contracte unilateral (obligació unilateral), per exemple el contracte de préstec comodat; o poden produir-se obligacions per a les dues parts contractants, d'una a favor de l'altra, el que passa en els anomenats contractes (obligacions) bilaterals, que són la majoria o els més habituals.

Una categoria intermèdia és la bilateralitat *ex post facto* que sorgeix en aquelles relacions contractuals que, inicialment, són unilaterals però que deriven en bilaterals perquè neix una obligació posteriorment a càrrec de la part que no la tenia. Així, en el contracte de dipòsit gratuït l'única obligació que existeix és la del dipositari de guardar la cosa dipositada i tornar-la a l'acabament i no pot exigir cap preu, però pot reclamar al dipositant el pagament les despeses de conservació, si las ha hagut de fer, una vegada que el contracte s'ha acabat (arts. 1760 i 1779 CC).

3. OBLIGACIONS RECÍPROQUES O SINAL·LAGMÀTIQUES

3.1. Concepte i caràcters

Un supòsit particular d'obligacions bilaterals és el de les obligacions sinal·lagmàtiques o recíproques en les que en les obligacions principals entre les parts hi ha un vincle que suposa una situació d'interdependència entre ambues, de manera que no es vol una obligació sense l'altra i els esdeveniments que sobrevinguin a una de les obligacions influeixen en l'altra. En aquestes obligacions cada posició jurídica és deutora i creditora una de l'altra alhora (ex: el venedor és creditor del preu i deutor del lliurament de la cosa i el comprador és deutor del preu i creditor de la cosa), es corresponen l'una a l'altra.

La interdependència entre les obligacions es designa amb el nom de sinal·lagma i en aquest es distingeix el genètic del funcional.

El sinal·lagma genètic designa que les obligacions són causa una de l'altra de l'altra, és a dir que no es vol una sense l'altra des de l'inici de la relació obligatòria i neixen alhora. Així que si una no existeix o no pot arribar a existir (per faltar algun requisit, per exemple) l'altra tampoc pot néixer. Es tracta d'una dependència causal, és a dir en les que la nota que es pren en consideració és la voluntat de voler una per l'altra, independentment que hi hagi o no equilibri entre les obligacions. La manca de proporció no elimina el caràcter sinalagmàtic, encara que pot derivar en l'exercici d'altres accions segons el tipus contractual de que es tracti.

El sinal·lagma funcional implica que totes les obligacions principals nascudes s'han de complir a la vegada, en el mateix moment.

Mentre el sinal·lagma genètic s'ha de donar sempre perquè es pugui identificar la relació obligatòria com recíproca, el sinal·lagma funcional es pot exceptuar mitjançant pacte entre les parts. Així succeeix, per exemple, quan s'acorda que una de les obligacions es compleixi en un temps i l'altra en un moment diferent (es fracciona el pagament del preu d'un contracte de compravenda en terminis, o simplement s'ajorna el pagament del preu).

La situació d'interdependència entre les obligacions incideix en l'exigibilitat amb caràcter general i en la subsistència en cas de pèrdua o destrucció. A més, comporta un règim de la situació de mora i un mitjà d'alliberament unilateral propi per l'exercici de facultat resolutòria. Analitzem els dos primers en aquest apartat i els altres separadament.

El sinal·lagma funcional deriva en què totes les obligacions són exigibles alhora i han de complir-se simultàniament de manera que cap dels obligats pot ser compel·lit a complir si l'altre no compleix o està disposat a fer-ho. Axó es tradueix en el fet que la part que ha complert o està disposada a complir pot oposar a l'altra l'excepció de contracte no complert (*exceptio non adimpleti contractus*) que permet paralitzar l'exigència de compliment fins que l'altra part ho faci en les condicions pactades. No es produeix l'alliberament de l'obligació sinó només la suspensió del compliment.

La facultat d'al·legació de l'excepció actua tant en el supòsit general d'incompliment com en els casos en què el compliment sigui defectuós (que és un incompliment, en aquest cas es nomina *exceptio non rite adimpleti contractus*).

Tot i que aquesta excepció no està formulada amb caràcter general en els textos legals està implícita en múltiples preceptes, sobretot en els tipus contractuals en què es recull el remei de la resolució (que s'estudia més endavant) (en particular, en contractes com la compravenda, arts, 1466, 1500 CC; 621-37. 1 c), 621-41 CCCat; l'arrendament, art. 623-20 CCCat; el contracte d'aliments, art. 624-9 CCCat, o el censal, art. 626-6 CCCat). La doctrina entén que del règim de la mora (art. 1100 CC) i de la facultat resolutòria (art. 1124 CC) s'extreu aquesta regla general.

La reciprocitat incideix així mateix en la subsistència de les obligacions. Tot i que no està expressat en general d'aquesta manera a les normes, que només la consideren per a determinats tipus contractuals, s'entén que si la prestació d'una de les parts esdevé impossible i no es pot complir, és a dir, s'extingeix sense que hagi intervingut la culpa o el dol del deutor, l'altra obligació també s'extingeix. Si desapareix una ha fer-ho, en conseqüència, també l'altra, per descomptat sense perjudici que les parts hagin acordat una altra cosa, o que hi hagi una regulació específica que prevegi un efecte diferent.

No obstant això, la manca d'una norma general sobre aquest extrem porta a que la via a través de la qual es pugui actuar sigui la d'exercitar facultat resolutòria (art. 1124 CC).

3.2. Règim de la mora

En les obligacions recíproques cap dels obligats incorre en mora si l'altre no compleix o s'aplana a complir degudament el que li incumbeix. Des que un dels obligats compleix la seva obligació, comença la mora per a l'altre. (art. 1000 in fine CC). De manera que la mora, que és el retard en el compliment de l'obligació i suposa incompliment, no comença sinó a partir del moment en què una de les parts compleix.

Durant cert temps, i sobre la base de l'última frase del precepte que regula mora (art. 1100 in fine CC, "Des que un..."), es va entendre que, en les obligacions sinal·lagmàtiques es preveia un cas de mora automàtica de l'obligació, és a dir que en les obligacions recíproques no era necessària la intimació perquè existís mora sinó que n'hi havia prou amb constatar l'absència de compliment. I, sota aquesta interpretació, cert sector de la doctrina explicava el caràcter singular de les obligacions recíproques.

Posteriorment, es va formular una interpretació diferent que s'ajusta millor a la naturalesa d'aquest tipus d'obligacions, i que pren en consideració la possiblilitat que per acord entre les parts pugui estar dissociat el sinal·lagma genètic i el sinal·lagma funcional.

La tesi dominant a l'actualitat entén que en aquestes obligacions no s'elimina el requisit d'interpel·lació de la mora del creditor, no és un supòsit de mora automàtica; sinó que en atenció a les cacteristiques d'aquestes obligacions recíproques el que la norma fa és acomodar la regla de la necessitat d'interpelaciò a la presencia del sinal·lagma del que se segueix que:

– En les obligacions sinal·lagmàtiques no n'hi ha prou amb el simple requeriment —interpelació— perquè es produeixi la situació de mora sinó que, ja que el creditor a la vegada és deutor d'una altra obligació abans d'interpel·lar ha de complir o oferir el compliment del seu deute. De manera que l'especialitat de les obligacions sinal·lagmàtiques és que al requisit de la interpel·lació se li afegeix el del compliment (o oferiment de compliment) de la pròpia obligació.

– Aquesta regla, però, no juga en el cas que conservant-se el sinal·lagma genètic s'hagi pactat que el compliment no sigui simultani. En realitat, aquí, ja que s'ha separat el compliment d'ambdues obligacions cadascuna funciona a aquests efectes com independent. Així des del moment en què es retarda el que ha de complir en primer lloc l'altra part pot interpel·lar la mora sense que calgui que ofereixi el compliment del seu deute (perquè aquest s'ha ajornat). Quan arribi el moment en que l'altre obligat ha de complir, si no ho fa, el que ja va complir pot interpel·lar la mora.

3.3. La resolució per incompliment

Llevat que hi hagi una regla especial, en general, l'incompliment d'una de les obligacions recíproques faculta l'altra part a resoldre la relació A tenor de la disposició legal (art. 1124 CC) aquesta facultat de resoldre l'obligació s'entén implícita per al cas que un dels obligats no complís el que li incumbeix, el que comporta que és una qualitat intrínseca d'aquest tipus de relacions obligatòries. I no és una condició en sentit propi, com expressa el precepte literalment, sinó un poder jurídic (legitimació com a dret potestatiu) que es concedeix a cadascuna de les parts per separat (és unilateral) per actuar sobre la relació obligatòria existent i provocar determinades conseqüències que poden derivar en la seva extinció. Es tracta d'un dret que es concedeix com a mitjà de protecció d'aquella part de la relació obligatòria que bé ja ha complert o està disposada a complir enfront de l'altra que no ho fa.

El precepte estableix (art. 1124 CC), quan i quin és el contingut de la facultat de resolució però no fixa, exactament, els requisits que han de concórrer perquè sigui viable; requisits que la doctrina jurisprudencial del Tribunal Suprem ha tingut oportunitat de perfilar i aclarir; són els següents:

a) El vincle contractual entre les parts ha d'estar vigent, és a dir no s'ha extingit, i les obligacions han de ser exigibles, o sigui es pot reclamar el seu compliment o pagament.

b) Les obligacions han de ser recíproques i principals. Cal que es provi el doble sinal·lagma, tant el genètic com el funcional i la reciprocitat ha d'estar perfectament determinada. Respecte que les obligacions siguin principals s'entén que són les essencials de la relació, el que exclou les obligacions accessòries i complementàries que puguin acompanyar-les l'incompliment de les quals no afecta la subsistència de la total relació.

c) L'incompliment de l'altra part ha de ser indubtable i ha de ser conseqüència de la seva conducta (és imputable), al que s'afegeix que ha de ser greu. L'apreciació de la gravetat correspon als tribunals d'instància.

El precepte no exigeix, expressament, que l'incompliment hagi de ser greu, ni tampoc precisa l'abast ni si inclou la situació de mora, ja que es refereix, de manera genèrica, al fet que "un dels obligats no complís el que li incumbeix". Sobre aquest extrem hi ha abundant doctrina jurisprudencial que, al llarg dels anys ha evolucionat notablement d'una posició molt restrictiva a una altra més àmplia, encara que no sempre la tesi mantinguda és la mateixa. S'ha de recordar però que la jurisprudència no és font del dret i la seva funció es circumscriu a la interpretació i complement de la norma, d'on l'existència d'opinions contradictòries.

Estrictament l'incompliment no té perquè ser greu, ha de ser incompliment definitiu, el que implica que no és possible el compliment posterior de part del deutor; la prestació no és possible per culpa del deutor. És un incompliment que és imputable a l'altra part, quan es dóna un fet aliè a la voluntat del deutor (la impossibilitat sobrevinguda) l'obligació s'extingeix (art. 1182 CC). L'incompliment és definitiu, l'impediment del compliment és absolut.

Pel que fa a la conducta del deutor en l'incompliment s'ha passat d'exigir que es comprovi que hi ha una voluntat deliberadament rebel al compliment, el que implicava no només la culpa (manca de diligència) sinó el dol (la intencionalitat) avui àmpliament superada, a exigir que es doni una dada més objectiva. A l'actualitat es posa l'accent en la protecció del creditor, es valora la repercussió de l'incompliment en la relació obligatòria el que condueix a valorar la frustració de l'interès i les legítimes aspiracions d'aquest.

Suscita dubtes si cal, perquè pugui actuar la facultat resolutòria, que el deutor incomplidor estigui en situació de mora i si és requisit addicional que l'altra part interpel·li al deutor que es retarda. Guarden silenci els preceptes (art. 1100 i 1124 CC) sobre aquest extrem i no és fàcil, com apunta la doctrina, harmonitzar les institucions de la mora i la resolució que tenen finalitats diferents; mentre la mora tendeix a perpetuar l'obligació a la qual s'agrega la indemnització dels danys, la resolució persegueix deixar-la sense efecte (amb el rescabalament dels danys i abonament dels interessos). És segur que el mer retard en el compliment no implica, de manera directa, incompliment i no justifica l'exercici de l'acció resolutòria; amb tot, és evident que el creditor ha de reclamar el compliment i això amb independència que la reclamació serveixi, alhora, per a constituir a l'altra part en mora. En tot cas és evident que ha de quedar constància de l'incompliment i una de les vies és, precisament, la reclamació.

L'incompliment parcial pot propiciar la resolució quan d'aquest es dedueix que no serà possible completar el compliment (així s'ha admès en els casos de manca de pagament de part del preu ajornat). També l'incompliment defectuós pot donar lloc a la resolució, encara que en aquests casos ha d'estar-se als remeis propis del tipus contractual i la seva compatibilitat amb l'acció resolutòria.

d) La part (creditor) que insta la resolució ha d'haver complert o estar disposada a complir; no ha d'incomplir l'obligació que li concernia, llevat que l'incompliment sigui conseqüència de l'incompliment anterior de l'altra part.

El creditor que exercita la facultat pot escollir entre:

1) Exigir el compliment de l'obligació i el rescabalament dels danys i abonament dels interessos que es derivin de la falta de compliment.

   Quan després de triat el compliment aquest resulta impossible pot encara sol·licitar la resolució de l'obligació (art. 1124 2. CC). La impossibilitat s'entén que no només és física o de fet sinó també la jurídica derivada de la tardança, resistència o la demora de la part en complir.

2) O pot pretendre que la relació obligatòria es resolgui (s'extingeixi) i el rescabalament dels danys i l'abonament dels interessos (art. 1124.2 CC). Però si es va optar per la resolució en primer terme no pot pretendre el compliment a posteriori perquè l'obligació ja s'ha extingit.

   Els tribunals acorden la resolució que es pretén, sempre que es comprovi que es donen els requisits i llevat que s'apreciï que hi han causes justificades, si és el cas s'assenyala un termini per al compliment de l'obligació (art. 1124 3. CC).

La facultat de resoldre es pot exercitar judicial o extrajudicialment i, segons reiterada jurisprudència del Tribunal Suprem encara que la norma (art. 1124 CC) esmenta reiteradament als tribunals, es considera que, en el cas en què s'hagi exigit privadament, el jutge es limita a ratificar o sancionar la resolució que ja existia. La resolució extrajudicial es porta a terme mitjançant la declaració de voluntat de la part que vol exercitar-la, notificada a l'altra i és eficaç a partir del moment en què aquesta la coneix.

Legitimat per a exercitar la resolució està el creditor que va complir o està disposat a complir. El termnini de prescripció és el general de les accions personals que no tenen assenyalat un d'especial (5 anys al CC, art. 1964.2 i 10 anys en CCCat, art. 120-20).

Decretada la resolució, el moment en què aquesta té lloc depèn de la causa i de si es va exercitar judicial o extrajudicialment.

Quan és per impossibilitat sobrevinguda és necessària la declaració judicial i es produeix en el moment en què la sentència la declari; quan es fa extrajudicialment té lloc des de l'instant en què la part rep la comunicació de la resolució.

La resolució implica l'extinció amb caràcter retroactiu (eficàcia *ex tunc*) el que comporta que les parts s'han de restituir les prestacions realitzades (la cosa i el preu, en la compravenda, per exemple). La restitució no procedeix en aquells supòsits en què hi hagi terceres persones que hagin adquirit els béns objecte del contracte de bona fe (desconeixent la possible resolució del contracte), a títol onerós, abans que s'hagi produït i complint els requisits addicionals que la legislació exigeixi (art. 1124 últ. parr. CC). La resolució no afecta, tampoc, a les prestacions ja realitzades, que es mantenen, quan es tracta d'una relació de caràcter successiu (per exemple: en l'arrendament de cosa, les rendes ja pagades del lloguer no es retornen, la relació es resol en endavant, no cap enrere). El reintegrament de les prestacions ha de fer-se *in natura*, en cas que no sigui possible es retorna el seu valor econòmic. La impossibilitat de la devolució no afecta la resolució que es pot pretendre, en aquest cas el que es retorna és el valor econòmic.

Pel que fa a la indemnització i abonament dels interessos, que procedeix en les dues alternatives, perquè es puguin exigir ha de provar-se que s'han produït danys. Si s'ha triat la resolució, el rescabalament ha de cobrir el necessari perquè el creditor quedi en la situació que tenia en el moment de néixer l'obligació.

Circumstàncies de la relació obligatòria

1. LES CIRCUMSTÀNCIES DE LA RELACIÓ OBLIGATÒRIA

Les circumstàncies de la relació obligatòria són els elements externs que delimiten el seu contingut i règim jurídic. Són fonamentalment el lloc en el que es desenvolupa la relació obligatòria i el temps en el que vincularà les parts, que fixen les coordenades d'espai i temps on es situa la relació obligatòria.

Tradicionalment es relaciona amb aquestes circumstàncies l'estudi dels anomenats elements accidentals de l'obligació, que són el termini, la condició i el mode, als quals pot quedar sotmesa l'obligació per voluntat de les parts.

2. EL LLOC DE LA RELACIÓ OBLIGATÒRIA

La determinació del lloc o localització geogràfica de la relació obligatòria té efectes en la resolució de diverses qüestions. Així, el lloc de celebració de la relació jurídica és essencial alhora de concretar el règim jurídic aplicable a la relació obligatòria, en aquest sentit l'art. 10.5 CC, que regula l'ordenament aplicable a les obligacions contractuals, disposa que s'aplicarà de forma subsidiària la llei del lloc de celebració del contracte —*lex loci contractus*—; i l'art. 10.9 CC estableix que les obligacions no contractuals es regiran per la llei del lloc on hagués succeït el fet del que deriven. El lloc de la relació obligatòria també incideix en la determinació de la competència dels òrgans judicials en els litigis que puguin sorgir entre les parts.

El lloc de la relació obligatòria o lloc de l'obligació és el de creació o constitució d'aquesta i es distingeix del lloc de la prestació, que és aquell en el que el deutor ha de desenvolupar la conducta deguda, amb el que pot o no coincidir. El lloc de la prestació és un requisit del pagament exacte que tractarem en la lliçó 8 dedicada al compliment de l'obligació.

La determinació del lloc de l'obligació depèn de la font de l'obligació:

– En les relacions obligatòries d'origen contractual, el lloc de l'obligació és el que s'anomena *locus contractus*, o lloc on les parts han emès les declaracions de voluntat (oferta i acceptació) quan aquestes s'han expressat en un mateix acte (simultàniament), és a dir amb presència física d'ambdues parts. En el supòsit que les parts estiguessin en llocs diferents en el moment en que s'emeten les declaracions d'oferta i acceptació (contractació entre absents), com succeeix per exemple quan per emetre les voluntats s'utilitzen mitjans electrònics, el contracte es presumeix celebrat on s'ha emès la declaració d'oferta (art. 1262 CC).

– En les obligacions de naturalesa extracontractual s'haurà d'estar a la naturalesa i funció de cada obligació, però per regla general el lloc de l'obligació coincidirà amb el de la prestació, i si es tracta d'una obligació d'indemnitzar danys i perjudicis, el lloc de l'obligació serà el lloc on s'ha produït el dany (art. 10.9 CC).

3. EL TEMPS DE LA RELACIÓ OBLIGATÒRIA

El temps incideix en la relació obligatòria de formes diverses. Així: el temps caracteritza una relació perquè es realitza de forma instantània o duradora; el temps del compliment de la prestació pot ser essencial en la configuració de la relació; en el temps es fixa l'inici dels efectes de la relació obligatòria que pot ser immediat o diferit. En tot cas, el temps de la relació obligatòria determina el període en el que la vinculació generada per la relació és efectiva.

El temps de la relació obligatòria no s'ha de confondre amb el temps de la prestació, que és el moment en que s'han de realitzar les conductes compromeses (temps del pagament) i al que ens referim en la lliçó 8 dedicada al compliment de l'obligació.

3.1. Les relacions obligatòries instantànies i duradores

La idea del "tracte" de l'obligació permet distingir les relacions obligatòries instantànies —dites de tracte únic— de les duradores —dites de tracte successiu, periòdic o continuat—; malgrat que és més exacte parlar de relacions obligatòries instantànies i continuades o duradores.

Les relacions obligatòries instantànies són aquelles en les que la relació s'extingeix amb la realització d'un sol cop de la prestació o prestacions (ex. entrega d'una cosa), i són duradores aquelles que es desenvolupen al llarg d'un període de temps més o menys perllongat i que comporten una conducta continuada (ex. guarda o custòdia) o unes prestacions periòdiques (ex. rendes).

3.2. El termini essencial de l'obligació

El temps de la prestació o del pagament, que determina el moment en el que ha de ser efectuat, és un requisit del compliment exacte. Determina l'exigibilitat del crèdit i marca el moment a partir del qual el deutor pot entrar en situació de mora. Però per regla general, un retard en el pagament no provoca l'extinció de l'obligació, de manera que la prestació encara pot ser realitzada pel deutor i reclamada pel creditor. En aquest punt el termini essencial suposa una excepció a aquest principi general.

El termini és essencial quan les parts estableixen expressa o tàcitament un termini pel compliment de la prestació, l'observança del qual esdevé imprescindible per tal de satisfer l'interès del creditor. En aquests casos, si no es respecta el termini pactat no hi ha possibilitat de compliment retardat, sinó que s'està davant un supòsit d'incompliment de l'obligació pel qual el creditor pot resoldre la relació.

L'art. 1100.2 2° CC preveu que el deutor incorre en mora sense necessitat d'intimació per part del creditor quan de la naturalesa i circumstàncies resulti que la designació de l'època en que s'havia d'entregar la cosa o s'havia de fer el servei va ser motiu determinant per establir l'obligació.

3.3. L'eficàcia immediata i l'eficàcia diferida de l'obligació

L'eficàcia de la relació obligatòria és immediata quan els efectes es produeixen en el mateix moment de la seva constitució i diferida o ajornada quan es posposen a un moment posterior.

Es diu que la relació obligatòria d'efectes immediats és una obligació pura perquè els seus efectes no estan sotmesos a l'arribada d'un termini inicial o al compliment d'una condició suspensiva i es contraposa a les obligacions a termini o condicionals.

La regla general és que si no es fixa termini o condició l'obligació és pura, és a dir, exigible de forma immediata (art. 1113 CC).

4. OBLIGACIONS A TERMINI: CONCEPTE, CARACTERITZACIÓ I CLASSES. RÈGIM JURÍDIC

Les obligacions a termini són aquelles l'eficàcia de les quals queda subjecta a un fet cert, de manera que a partir del moment en que es produeix aquest fet s'inicien o cessen els efectes de l'obligació.

El fet al que les obligacions a termini vinculen la seva eficàcia ha de ser cert i futur, la qual cosa significa que s'ha de tractar d'un fet que ha de succeir en un dia concret que en el moment de la constitució de l'obligació encara està per arribar.

Les parts poden disposar un termini concret, assenyalant un dia exacte o moment precís d'exigibilitat de l'obligació (*dies certus an et quando*, per exemple 1 de gener de l'any vinent, o passats tres mesos); o disposar un termini inexacte, sotmetent l'eficàcia de l'obligació al succés d'un fet que necessàriament ha d'arribar però que no saben en quin moment succeirà (*dies certus an, incertus quando*, per exemple quan mori una determinada persona). En tot cas, el fet previst ha de reunir les notes de certesa, perquè se sap segur que arribarà, i futuritat. En aquest sentit, l'art. 1125.2 CC disposa que s'entén per dia cert aquell que necessàriament ha d'arribar, encara que s'ignori quan.

És precisament la certesa de que ha d'arribar el fet establert el que distingeix les obligacions a termini de les obligacions condicionals en les que el fet posat com a condició és incert (*incertus an, incertus quando*). Per això l'art. 1125.3 CC disposa que si la incertesa consisteix en si ha d'arribar o no el dia, l'obligació és condicional.

El termini pot ser inicial o final segons l'arribada del fet cert comporti l'inici o el cessament de l'eficàcia de l'obligació.

Són obligacions subjectes a termini inicial aquelles l'eficàcia de les quals s'ajorna per un moment posterior al de la seva constitució, de manera que únicament seran exigibles quan arribi aquest dia (art. 1125.1 CC). Per contra, les obligacions a termini final desenvolupen els seus efectes des de la seva constitució fins l'arribada del termini final.

En les obligacions sotmeses a termini inicial la relació obligatòria existeix i és perfecta des de la seva constitució, malgrat que no és exigible fins que arriba el termini inicial. Per aquest motiu, el deutor pot exercitar vàlidament l'obligació abans que resulti exigible renunciant al termini. En aquest sentit, l'art. 1126 CC preveu que el pagament anticipat de les obligacions a termini no es podrà repetir, per bé que disposa que si el qui paga anticipadament ignorava l'existència del termini tindrà dret a reclamar del creditor els interessos o els fruits que aquest hagués percebut de la cosa.

Així mateix, el fet que la relació obligatòria existeixi des de la constitució de l'obligació subjecte a termini inicial comporta que el creditor té un dret eventual i pot exercitar, en aquesta fase de pendència, accions dirigides a conservar el seu dret de crèdit i pot disposar-ne.

El termini inicial s'estableix en la relació obligatòria per acord de les parts i normalment respon a l'interès d'una d'elles (al deutor li pot interessar gaudir de més temps per efectuar el pagament o al creditor assegurar-se amb antelació un determinat proveïment). Amb tot, el Código Civil disposa com a regla general, que es presumeix que el termini s'ha establert en benefici d'ambdues parts, si no hi ha estipulació en contra o es dedueix de les circumstàncies del cas que es va posar en favor d'un o un altre (art. 1127 CC).

Si l'obligació no assenyala termini, però de la seva naturalesa i circumstàncies es dedueix que s'ha volgut concedir al deutor, els Tribunals fixaran la seva durada. També fixaran els Tribunals la durada del termini quan aquest hagi quedat a la voluntat del deutor (art. 1128 CC).

En tot cas, però, determinades situacions poden comportar la pèrdua del benefici del termini pel deutor i la conseqüent exigibilitat anticipada del deute, perquè es considera que altrament hi ha perill d'incompliment. Són: a) quan després de contreta l'obligació el deutor resulta insolvent, tret que garanteixi el deute; b) quan no atorgui al creditor les garanties a que s'hagués compromès; c) quan per actes propis hagués disminuït les garanties després d'establertes, i quan per cas fortuït desaparegueren, tret que siguin immediatament substituïdes per altres noves i igualment segures (art. 1129 CC).

Pel que fa al còmput del termini, cal tenir en compte que si el termini de l'obligació està senyalat en dies a comptar des d'un determinat, aquest quedarà exclòs del còmput, que començarà el dia següent i que el dia final s'ha de complir totalment. El còmput de mesos o anys es fa de data a data. Si al mes del venciment no hi ha el dia corresponent a l'inicial, es considera que el termini acaba el darrer dia del mes (arts. 1130 CC i 121-23.2 i 3 CCCat).

5. L'OBLIGACIÓ CONDICIONAL: CONCEPTE, FUNCIÓ I CLASSES

L'obligació condicional és aquella en la que per voluntat de les parts es sotmet l'existència o la resolució de l'obligació a l'esdeveniment d'un succés futur i incert. D'aquesta manera quan es constitueix la relació obligatòria no es té la seguretat que es produiran definitivament els efectes de l'obligació o no és segur que els efectes que produeix es mantindran.

El Codi Civil espanyol regula les obligacions condicionals contraposant-les a les pures. L'art. 1113 CC disposa que seran exigibles d'immediat les obligacions el compliment de les quals no depengui d'un succés futur o incert, o d'un succés passat que els interessats ignoren i que també seran exigibles les obligacions que continguin condició resolutòria, sense perjudici dels efectes de la resolució. I l'art. 1114 CC afegeix que en les obligacions condicionals l'adquisició dels drets i la resolució o pèrdua dels ja adquirits dependran de l'esdeveniment que constitueixi la condició.

La condició és un esdeveniment futur i incert (*incertus an*) del que depèn l'obligació per voluntat de les parts, i que no ve exigit per la llei o deriva de la naturalesa de les coses. Atès que el que resulta essencial al convenir la condició és que la producció o no del fet sigui incerta per a les parts, s'equipara al fet futur i incert el succés passat que els interessats ignoressin, de forma que l'eficàcia de l'obligació també pot quedar sotmesa a l'esdeveniment d'un fet que ja s'ha succeït però que les parts ignoren que ha passat (art. 1113.1 CC in fine).

No es poden posar com a condicions:

1) Els fets necessaris i els fets impossibles. Respecte els fets necessaris hi ha la certesa de que succeiran (es tracta d'un termini) i respecte els fets impossibles la certesa que no succeiran. La condició de no fer una cosa impossible es té per no posada (art. 1116.1 i.2 CC)

2) Els fets presents o els fets passats no ignorats per les parts, perquè manca la futuritat i la incertesa, respectivament (art. 1113. CC)

3) Els fets contraris als bons costums i els prohibits per la llei (fets il·lícits o il·legals) que anul·laran l'obligació que en depengui (art. 1116.1 CC)

Tradicionalment s'han diferenciat diversos tipus de condicions:

Una primera classificació distingeix entre les condicions suspensives i les resolutòries. Les condicions suspensives són aquelles de les que depèn el naixement de l'obligació, posposen l'eficàcia de l'obligació i suspenen l'adquisició de drets mentre dura la incertesa. Les condicions resolutòries són aquelles de les que depèn l'extinció de l'obligació, perquè provoquen la resolució o pèrdua dels drets ja adquirits. A aquesta distinció es refereix l'art. 1114 CC que diu que en les obligacions condicionals, l'adquisició dels drets, així com la resolució o pèrdua dels ja adquirits dependran del succés del fet que constitueixi la condició.

Una altra classificació és la que es fa entre les condicions positives i negatives. Les condicions positives són aquelles en les que la incertesa depèn de que efectivament esdevingui un fet en un temps determinat. En relació a aquestes condicions, l'art. 1117 CC disposa que s'extingirà l'obligació des que passi el temps o ja fos indubtable que el fet no es produirà. Les condicions negatives, en canvi, són aquelles que preveuen que no esdevingui un fet en un temps determinat, i amb referència a aquestes l'art. 1118 CC disposa que la condició que no esdevingui algun succés en temps determinat fa eficaç l'obligació des que passa el temps assenyalat o sigui evident que el succés ja no pot tenir lloc i si no s'hagués fixat temps, la condició s'haurà de reputar complerta en el que raonablement s'hagués volgut assenyalar atesa la naturalesa de l'obligació.

També es distingeix entre condicions potestatives, causals i mixtes. Són condicions potestatives aquelles en les que l'esdeveniment depèn total o parcialment de la voluntat d'una de les parts, en el primer cas (totalment) es parla de condicions purament potestatives i en el segon cas (parcialment) de condicions merament potestatives. Són condicions causals les que depenen únicament de l'atzar. I són condicions mixtes les que depenen en part de la voluntat dels interessats i en part de fets aliens. D'acord amb l'art. 1115 CC quan el compliment de la condició depengui exclusivament de la voluntat del deutor, l'obligació condicional serà nul·la, mentre que si depèn de la sort o de la voluntat d'un tercer, l'obligació desplegarà tots els seus efectes d'acord amb aquest codi.

5.1. Règim jurídic de la condició suspensiva

La condició suspensiva incideix en l'obligació de forma que fins que no es produeix l'esdeveniment posat com a condició l'obligació no desplega els seus efectes. Això significa que malgrat que la relació obligatòria ha nascut i vincula les parts, aquestes no poden demanar el compliment fins que no es compleix la condició (art. 1114, 1122 CC). Així, hi ha un termini de temps entre el moment en que es constitueix l'obligació i el moment de producció de l'esdeveniment posat en condició, en el que l'obligació ja ha nascut però el crèdit i el deute no existeixen ni és segur que arribin a existir. Durant aquest temps es diu que la relació obligatòria està en una fase o situació de pendència.

Durant la fase de pendència de l'obligació sota condició suspensiva, atès que el creditor no ha adquirit encara cap dret i l'obligació no és encara exigible, el deutor pot demanar la devolució de les bestretes que hagués pogut realitzar (repetir allò pagat) perquè ha pagat indegudament (art. 1121.2 CC). Amb tot, el creditor sí que compte amb una expectativa de dret o dret eventual amb base a la qual gaudeix d'una determinada protecció jurídica de la seva situació (pot exercitar accions conservatives, art. 1121.1 CC).

Per la seva banda, el deutor, durant aquesta fase de pendència té el deure de conservació de la prestació i el deure d'evitar els esdeveniments que la puguin impedir o impossibilitar. Així es desprèn de l'art. 1122 CC que regula els riscos durant la pendència. Aquest precepte disposa que quan les condicions s'haguessin imposat per suspendre l'eficàcia d'una obligació de donar: 1) Si la cosa es perd sense culpa del deutor, quedarà extingida l'obligació; 2) Si la cosa es perd per culpa del deutor, aquest queda obligat a rescabalar els danys i perjudicis; 3) Si la cosa es deteriora sense culpa del deutor, el detriment és a compte del creditor; 4) Si es deteriora per culpa del deutor el creditor pot optar entre la resolució de l'obligació i el seu compliment amb en ambdós casos el rescabalament corresponent; 5) Si la cosa millora, les millores cedeixen en favor del creditor; i 6) Si la cosa millora a expenses del deutor, aquest pot retirar les millores sense detriment de la cosa.

Ambdues parts, deutor i creditor, poden durant la fase de pendència transmetre les seves posicions (expectativa el creditor, possibilitat de deute el deutor).

El compliment de la condició (esdeveniment incert) pot ser un compliment real y efectiu del fet que tingui lloc en el termini estipulat o en un termini raonable. En aquets sentit l'art. 1117 CC disposa que l'esdeveniment previst com a condició s'ha de produir en el termini fixat per les parts i si no s'hagués fixat termini, dins del que raonablement s'hagués volgut establir en funció de la naturalesa de l'obligació.

Si la condició és negativa el seu compliment té lloc quan passa el temps establert sense que es produeixi el fet disposat, però hi cap també un compliment equivalent quan sense que acabi de transcorre aquest termini ja està clar que el fet no esdevindrà. En aquest sentit l'art. 1118 CC disposa que la condició de que no esdevingui algun succés fa eficaç l'obligació des que passa el temps determinat o ja és evident que no pot succeir.

A mode de sanció, l'art. 1119 CC preveu el compliment de la condició per ficció quan disposa que la condició es té per completa quan l'obligat impedís voluntàriament el seu compliment.

El compliment de la condició transforma l'obligació sota condició suspensiva en una obligació pura.

A falta de pacte en contrari, l'art. 1120 CC estableix la retroacció dels efectes al dia de la constitució de l'obligació, distingint entre si es tracta d'una obligació de donar, de fer o de no fer. Els efectes de l'obligació condicional de donar, un cop succeït l'esdeveniment posat com a condició es retrotrauen a la constitució d'aquella. Si l'obligació imposa prestacions recíproques els fruits i interessos que s'haguessin produït durant la fase de pendència s'entendran compensats i si l'obligació fos unilateral, el deutor farà seus els fruits i interessos percebuts, si no es que per la naturalesa o les circumstàncies de l'obligació es desprèn que la voluntat de les parts va ser una altra. En les obligacions de fer i de no fer els Tribunals determinaran casuísticament l'efecte retroactiu de la condició complerta (art. 1120 CC).

En la donació sotmesa a condició suspensiva pertanyen als donants els fruits i les rendes del bé donat mentre aquella està pendent de compliment. En aquest cas, els successors dels donataris no adquireixen cap dret sobre el bé si en el ínterim aquests moren (art. 531-16 CCCat).

Suposen límits a la retroactivitat dels efectes de l'obligació al moment de la seva constitució les següents situacions: a) no es podran retrotreure el actes de disposició del titular interí que hagin consistit en la constitució de drets reals en favor de tercers de bona fe, atès que els drets d'aquests són inatacables, sense perjudici de la responsabilitat del deutor front el creditor; i b) els negocis que hagi atorgat el creditor respecte el seu dret eventual esdevindran definitius.

Des del moment en que l'esdeveniment posat com a condició no es produeix en el temps estipulat o en el que raonablement s'hagués volgut o no es pot produir perquè el fet esdevé impossible (s'incompleix la condició) l'obligació s'extingirà. El creditor no adquireix drets i les parts queden totalment desvinculades de la relació. S'extingeix l'expectativa de dret o dret eventual del creditor i decauen les mesures conservatives o preventives que en el seu cas s'haguessin adoptat per mantenir la seva efectivitat. Igualment comporta la resolució dels negocis dispositius atorgats de forma condicional pel creditor i, en canvi, es consoliden els atorgats pel deutor durant la fase de pendència.

5.2. Règim jurídic de la condició resolutòria

L'obligació sotmesa a una condició resolutòria desplega tots els seus efectes des que es constitueix: neix el dret del creditor i l'obligació esdevé exigible. L'arribada o compliment de l'esdeveniment establert com a condició posa fi (extingeix) a la relació obligatòria i provoca automàticament la resolució o pèrdua dels drets adquirits (art. 1114 CC). Així, el creditor es troba des de la constitució de l'obligació en una situació d'interinitat en tant que la seva situació no esdevé definitiva fins que es compleixi la condició i està sotmès a una eventual restitució de les coses adquirides.

En funció de la naturalesa de l'obligació, la condició resolutòria pot tenir efectes *ex nunc* (no retroactius) de manera que la relació obligatòria simplement finalitza (per exemple posa fi a un arrendament), o *ex tunc* (retroactius) de manera que la relació entre les parts retorna a l'estat anterior a la producció de la condició i obliga a les parts a tornar-se les prestacions rebudes (per exemple resol una compravenda).

El Código Civil opta, en termes generals, per la retroactivitat absoluta en les obligacions de donar quan a l'art. 1123.1 CC disposa que quan les condicions tinguin per objecte resoldre l'obligació de donar, els interessats s'hauran de restituir el que haguessin percebut, però sembla més lògic aplicar les regles dictades per la condició suspensiva (art. 1120 CC) i limitar el reintegrament de les prestacions admetent la compensació dels fruits i interessos en les obligacions recíproques i l'apropiació de perceptor en les unilaterals. La retroactivitat es preveu més limitada en relació a les obligacions de fer i de no fer, respecte la que decidiran els Tribunals (art. 1123.3 CC).

En les donacions sotmeses a condició resolutòria o a termini, els donataris o llurs successors, fins al compliment de la condició o fins el venciment del termini adquireixen els fruits i les rendes del bé o del dret donats (art. 531.16 CCCat).

En cas de pèrdua, detriment o millora de la cosa, s'aplicaran a qui hagi de fer la restitució les disposicions de l'art. 1122 CC (art. 1123.2 CC).

Tan aviat com sigui segur que no tindrà lloc l'esdeveniment posat com a condició resolutòria l'obligació que ja estava produint efectes es converteix en una obligació pura (art. 1118 CC).

6. L'OBLIGACIÓ MODAL: RÈGIM JURÍDIC I EFECTES

El mode o càrrega modal és una obligació accessòria imposada al beneficiari d'un negoci o acte gratuït. És el comportament que s'imposa i espera del beneficiat amb l'atribució en favor del propi disponent o d'un tercer i participa de la naturalesa jurídica del deure i el gravamen.

Al mode se l'anomena impròpiament condició, però a diferencia del que succeeix en les obligacions sotmeses a condició, el compliment del mode no suspèn l'eficàcia de l'obligació principal i el seu incompliment no provoca la resolució de la disposició gratuïta modal.

L'obligació modal és la que s'insereix en un acte jurídic que confereix gratuïtament determinats béns a una persona a la que s'exigeix que dugui a terme una determinada conducta o prestació. L'obligació neix quan s'adquireix la liberalitat. Així resulta de l'art. 531-18 CC-Cat que regula la donació amb càrrega o modal i disposa que "Els donants poden imposar als donataris gravàmens, càrregues o modes, a favor dels mateixos donants o de terceres persones. Si els gravàmens, càrregues o els modes consisteixen en la prohibició o la limitació de disposar dels béns donats, s'aplica l'article 428-6 (prohibicions de disposa en el testament)".

L'adquirent queda obligat a complir el mode duent a terme la conducta que li ha estat imposada de forma exacta i puntual, i que el beneficiari pot exigir, tot i que si aquest compliment exacte esdevé impossible sense culpa de l'obligat es podrà complir en la forma més semblant i que més s'ajusti a la voluntat del disponent. Si resulta impossible el compliment alternatiu o si el propi interessat l'impedeix, la càrrega modal s'entén complerta.

L'incompliment de la càrrega modal imputable al beneficiari de l'atribució legitima al disponent a demanar la revocació de l'atribució —en aquest sentit, l'art. 531-15.1.c) CCCat disposa que l'incompliment de les càrregues imposades pels donants als donataris és una causa de revocació de les donacions—. El donant i el beneficiari del mode, quan és una tercera persona, també podran exigir el compliment forçós de l'obligació imposada al donatari.

Les càrregues, les condicions i les reversions imposades pels donants i, en general, les determinacions que, amb caràcter real, configurin o limitin el dret dels donataris, fins i tot quan no hagin estat acceptades pels afavorits, produeixen efectes, d'acord amb les normes generals d'oposabilitat de drets a terceres persones (art. 531-16.3 CC-Cat).

Garanties de la relació obligatòria

1. LES GARANTIES DE LA RELACIÓ OBLIGATÒRIA

Com s'ha estudiat, l'art. 1911 CC estableix el principi general de la responsabilitat patrimonial universal del deutor al disposar que del compliment de les obligacions respon el deutor amb tots els seus béns presents i futurs. Així, el creditor es podrà dirigir pel cobrament del seu crèdit contra tots els béns presents i futurs del deutor. Més enllà d'això, qualsevol dret o facultat del creditor que es vingui a afegir a l'anterior amb la finalitat d'augmentar la seguretat del compliment del deutor constitueix el que s'anomena una garantia de l'obligació.

Es distingeixen fonamentalment dos tipus de garanties de l'obligació: les garanties reals i les garanties personals.

Les garanties reals atribueixen al creditor un poder directe i immediat sobre un bé del deutor o d'un tercer. A diferència de les garanties personals, les reals tenen eficàcia *erga omnes,* és a dir, permeten al creditor dirigir-se contra la cosa sotmesa a garantia amb independència de qui la tingui en el seu poder. Es troben relacionades a l'art. 569-1 CCCat. El creditor pot dirigir-se, pel cobrament del seu crèdit, contra coses concretes i específiques del deutor o d'un tercer per a realitzar el seu valor i satisfer amb això el seu crèdit, com passa amb el dret de retenció (arts. 569-2 a 569-11 CCCat), la penyora (arts. 569-12 a 569-22 CCCat) i la hipoteca (arts. 569-27 a 569-42 CCCat; 104 i ss LH); o també cobrar-se amb els fruits de les coses immobles posades en garantia, com succeeix amb l'anticresi (arts. 569-23 a 569-26 CCCat). L'estudi de les garanties reals s'efectua al fascicle del Lliçons dedicat als drets reals.

Les garanties personals faculten el creditor per dirigir-se contra un tercer perquè realitzi la prestació —com passa a la fiança, en virtut de la qual un tercer s'obliga a complir l'obligació si el deutor no compleix (art. 1822 i ss CC)— o per exigir al deutor una prestació addicional a la pactada —efecte propi de la pena convencional (arts. 1152 i ss CC) i de les arres (art. 621-8 CCCat)—. Les veurem tot seguit amb més deteniment.

Totes aquestes garanties (reals i personals) es configuren com a mesures que atenen al creditor per fer més improbable l'incompliment del deutor i la correlativa insatisfacció de l'interès del creditor.

Els drets de garantia constitueixen drets accessoris al dret principal que és el dret de crèdit, al queden subordinats (art. 569-2.5 CCCat, *accessorium sequitur principale*) i poden ser d'origen legal o convencional.

2. LA PENA CONVENCIONAL

La pena convencional és una prestació que el deutor es compromet a dur a terme en cas d'incompliment o compliment defectuós de l'obligació principal, que actua com a mitjà de pressió pel compliment del deutor. És d'origen convencional i s'incorpora al negoci constituïu de la relació obligatòria mitjançant una clàusula que es coneix com a clàusula penal. Normalment es concreta en una prestació pecuniària (multa).

En les obligacions amb clàusula penal, la pena substituirà la indemnització de danys i l'abonament d'interessos en cas de falta de compliment, si no s'ha pactat una altra cosa (art. 1152 CC). D'aquí es desprèn la funció indemnitzatòria de la pena convencional, que suposa una liquidació *a priori* dels danys i perjudicis que pot generar l'incompliment.

D'acord amb l'art. 1153 CC el deutor no es pot eximir de complir l'obligació principal pagant la pena si no s'ha previst expressament, i el creditor no pot exigir el compliment conjunt de l'obligació principal i de la pena si no li ha estat atorgada aquesta facultat. La qual cosa significa que solament en cas de pacte exprés la pena convencional allibera el deutor del compliment de l'obligació. Igualment, només si s'ha previst expressament la pena serà cumulativa

D'altra banda, l'art. 1154 CC preveu que quan l'obligació principal sigui complerta en part o irregularment (compliment defectuós o retard en el compliment), el jutge pot modificar equitativament la pena. Cal assenyalar que aquesta moderació judicial no és possible en el cas d'incompliment total de l'obligació malgrat que la pena sigui exagerada, en aquests casos s'hauran d'utilitzar altres vies amb aquesta finalitat com el recurs a l'abús de dret o a la normativa de protecció dels consumidors.

L'accessorietat de la clàusula penal implica que la nul·litat de l'obligació principal comporta la de la clàusula penal, però no a la inversa (art. 1155 CC).

3. LES ARRES

Malgrat que tradicionalment les arres es regulen en seu de compravenda (art. 621-8 CCCat, art. 1545 CC i art. 343 CCom) són aplicables a tots els contractes en general. A grans trets es poden definir com l'entrega d'una cosa (normalment diners) que una part fa a l'altra en el moment de la celebració del contracte, amb finalitat d'assegurar el contracte.

Segons la seva funció sigui la de confirmar el contracte, garantir el seu compliment, o facultar l'atorgant per rescindir-lo lliurement consentint en perdre allò entregat, les arres poden ser confirmatòries, penals i penitencials:

a) Arres confirmatòries: l'entrega d'una quantitat de diners es fa com a senyal de conclusió d'un contracte i s'entén donada a compte del preu (art. 621-8.1 CCCat).

b) Arres penals: tenen una funció sancionadora. En cas d'incompliment, les arres es perden o s'han de tornar duplicades, però no perquè facultin a desistir del contracte, sinó com a pena o rescabalament del dany produït per l'incompliment. Tenen la mateixa funció que la pena convencional, però a diferència d'aquesta en el moment de la seva estipulació no hi ha únicament una promesa de prestació futura, sinó una entrega efectiva (*datio rei*).

c) Arres penitencials o de desistiment: per regla general, si l'ator-
gant desisteix del contracte, les perd, i si qui desisteix és l'altra
part, les ha de tornar doblades. Les arres només tenen aquesta
funció si es pacta expressament, altrament es consideren confir-
matòries (art. 621-8.2 CCCat).

En la compravenda d'immobles, el lliurament d'arres penitencials
pactades per un termini màxim de sis mesos i dipositades davant no-
tari es pot fer constar en el Registre de la Propietat i, en aquest cas,
l'immoble resta afecte a llur devolució. En cas de desistiment, el notari
ha de lliurar les arres dipositades a qui correspongui. L'afecció s'ex-
tingeix: a) una vegada transcorreguts seixanta dies després del termini
pactat, llevat que hi hagi una anotació anterior de demanda per part
del comprador. En aquest cas l'afectació es cancel·la d'ofici; b) quan
el comprador desisteix i el venedor ho acredita fefaentment; c) quan
s'inscriu la compravenda (art. 621-8.3 CCCat).

4. LA FIANÇA

Per la fiança un tercer, el fiador, s'obliga a pagar o complir l'obli-
gació en el cas que no ho faci el deutor principal (art. 1822 CC). La
fiança es pot constituir també a favor d'un altre fiador (art. 1823.2
CC) i aleshores es parla de subfiança. En aquest cas la garantia que
atorga la fiança és la d'afegir un nou patrimoni de responsabilitat (el
del fiador) al compliment de l'obligació.

La fiança es caracteritza perquè: a) Hi ha sempre una situació ju-
rídica amb tres subjectes, que són el deutor, el creditor i el fiador que
és un tercer, i b) El fiador és un deutor subsidiari, perquè la fiança és
una obligació subsidiària que garanteix la principal (art. 1824.1 CC).

L'art. 1825 CC admet la fiança en garantia de deutes futurs d'im-
port desconegut, malgrat que no es podrà reclamar al fiador fins que
el deute sigui líquid i suposa una excepció al principi de subsidiarietat
de la fiança, atès que en aquest cas es constitueix abans del naixement
de l'obligació principal.

La fiança pot ser gratuïta o a títol onerós (art. 1823 CC). És one-
rosa aquella en la que el fiador rep una contraprestació per assumir
aquesta condició, per bé que això no afecta la naturalesa accessòria
de la fiança, de manera que la falta de pagament de la contraprestació

no faculta al fiador a lliurar-se de la fiança, perquè no converteix la relació en sinal·lagmàtica.

En funció del seu origen, la fiança pot ser: a) convencional, quan s'origina en un negoci jurídic, per voluntat de les parts; b) legal, si neix del mandat d'una disposició de la llei; o c) judicial, quan té origen en una providència judicial (art. 1823 CC).

Pel que fa a la fiança convencional, exigeix una declaració de voluntat. L'art. 1827 CC disposa que no es presumeix i que s'ha de constituir de forma expressa, tot i que al no exigir cap tipus concret regeix el principi general de llibertat de forma (art. 1278 CC). Continua el precepte establint que si la fiança fos simple o indefinida comprendrà, no solament l'obligació principal, sinó tots els seus accessoris, fins i tot les despeses de judici.

Normalment l'obligació del fiador és idèntica a l'obligació del deutor, però també pot ser menor. El fiador es pot obligar a menys, però no a més que el deutor principal, tant en la qualitat com en l'onerositat de les condicions, i si s'hagués obligat a més, es reduirà la seva obligació als límits de la del deutor (art. 1826 CC).

En virtut de la fiança es deriven diferents relacions jurídiques entre els subjectes implicats:

4.1. La relació entre el creditor i el fiador (relació de garantia)

El creditor podrà citar al fiador quan demandi el deutor principal, que sempre disposarà del benefici d'excussió, malgrat que es sentenciï contra els dos (art. 1834 CC). El creditor pot:

a) Fer una citació conjunta del deutor i fiador en el mateix procediment, que pot acabar amb una sentència de condemna principal del deutor i subsidiària del fiador;

b) Demandar únicament al deutor, i obtenir una sentència de condemna del deutor que no té efecte de cosa jutjada front al fiador, a qui podrà demandar en un nou procediment;

c) Demandar únicament al fiador, quan davant el requeriment de pagament del creditor, aquest no hagi oposat benefici d'excussió assenyalant béns del deutor per satisfer la totalitat del deute.

El fiador pot oposar al creditor totes les excepcions que corresponguin al deutor principal i siguin inherents al deute, però no les que siguin purament personals del deutor, això és, les excepcions objectives i les personals pròpies, però no les personals del deutor (art. 1853 CC). Podrà, doncs, discutir, per exemple, l'existència, legitimitat, validesa o subsistència de l'obligació, però no podrà al·legar les excepcions relatives a la incapacitat del deutor.

El fiador està obligat a realitzar la prestació (complir o pagar) davant el creditor, per bé que per regla general, abans s'ha de fer excussió de tots els béns del deutor (és l'anomenat benefici d'excussió) (art. 1830 CC).

El benefici d'excussió permet al fiador eludir el pagament del deute principal fins que no es demostri la insolvència del deutor, o l'assenyalament de béns propis del deutor suficients per atendre el pagament. En la subfiança, el fiador del fiador gaudeix del benefici d'excussió, tant respecte del fiador com del deutor principal (art. 1836 CC).

L'excussió no té lloc quan:

1) El fiador hi hagi renunciat expressament;
2) El fiador s'hagi obligat solidàriament amb el deutor;
3) En cas de concurs del deutor, que impossibilita l'assenyalament de béns suficients;
4) Quan el deutor no pugui ser demandat judicialment a l'estat espanyol (art. 1831 CC).

Per tal que aprofiti al fiador el benefici d'excussió, l'ha d'oposar al creditor després que aquest l'hagi requerit al pagament i ha d'assenyalar els béns del deutor realitzables suficients per cobrir el deute (art. 1832 CC).

El creditor negligent en l'excussió dels béns assenyalats és responsable de la insolvència del deutor fins on resulti de la dita negligència (art. 1833 CC).

La transacció feta pel fiador amb el creditor no té efectes pel deutor principal i la que aquest fa no té efectes pel fiador en contra de la seva voluntat (art. 1835 CC).

4.2. *La relació entre el deutor i el fiador (relació de cobertura)*

Abans de realitzar el pagament, el fiador té al seu abast l'anome-nada acció de cobertura, amb la que es pot dirigir contra el deutor principal per tal que el rellevi de la fiança o obtenir garantia que el posi a cobert dels procediments del creditor i el perill d'insolvència del deutor en determinats supòsits. Així (art. 1843 CC):

1° Quan es troba demandat judicialment pel pagament;

2° En cas de fallida, concurs o insolvència;

3ª Quan el deutor s'ha obligat a rellevar-lo de la fiança en un ter-mini determinat i aquest ha vençut;

4° Quan el deute ha arribat a fer-se exigible per haver-se complert el termini en que s'ha de satisfer;

5° Passat deu anys, quan l'obligació principal no té termini fix pel seu venciment, a menys que sigui de tal naturalesa s'extingeixi en un termini major.

Quan el fiador paga el deute té dret a reclamar del deutor principal allò que ha pagat. Correspon al fiador elegir per la satisfacció del seu crèdit entre actuar l'acció de reemborsament, o l'acció de subrogació en els drets del creditor que el converteix en cessionari del crèdit pa-gat.

Si el fiador opta per subrogar-se en els drets que el creditor tenia contra el deutor, adquireix també totes les facultats accessòries que tingués el crèdit. Però si ha transigit amb el creditor no pot demanar al deutor més del que realment ha pagat (art. 1839 CC).

Pel que fa a l'acció de reemborsament a favor del fiador compren (art. 1838 CC):

1) La quantitat total del deute;

2) Els interessos legals del deute des que s'hagi fet saber el paga-ment al deutor;

3) Les despeses ocasionades al fiador després de posar aquest en coneixement del deutor que ha estat requerit pel pagament; i

4) Els danys i perjudicis, si n'hi ha.

El deutor, davant l'acció de reemborsament del fiador pot oposar les següents excepcions (art. 1842 CC):

1°. Si el fiador ha pagat sense posar-ho en coneixement del deutor, aquest pot fer valer contra ell totes les excepcions que hagués pogut oposar al creditor (art. 1840 CC);

2°. Si el deute era a termini i el fiador paga abans del venciment, no podrà exigir el reembossament del deutor fins que venci el termini (art. 1841 CC);

3°. Si el fiador ha pagat sense posar-ho en notícia del deutor i aquest, ignorant el pagament, el repeteix, el fiador no té acció contra el deutor i s'ha de dirigir contra el creditor.

4.3. La pluralitat de fiadors

Es parla de cofiança quan hi ha varis fiadors que garanteixen un mateix deutor per un mateix deute davant un mateix creditor.

El nostre ordenament jurídic estableix que la solidaritat dels cofiadors s'ha de disposar de forma expressa i no es presumeix. Per tant, si hi ha varis fiadors d'un mateix deutor i un mateix deute, l'obligació de respondre d'aquest es divideix entre tots ells (és l'anomenat benefici de divisió). El creditor pot reclamar a cada fiador només la part que li correspon, si no és que s'ha estipulat expressament la solidaritat. El benefici de divisió contra els cofiadors cessa en els mateixos casos i per les mateixes causes que el d'excussió contra el deutor principal (art. 1837 CC).

En la relació interna entre els cofiadors es planteja la qüestió del reintegrament que front la resta de cofiadors té el fiador que ha pagat la totalitat del deute, i la de les excepcions que els fiadors demandats poden oposar al cofiador demandant.

El cofiador que hagi pagat el deute en virtut d'una demanda judicial o trobant-se el deutor principal en estat de concurs, podrà reclamar de cadascun dels altres la part que proporcionalment li correspon satisfer. Si algun d'ells resultés insolvent, la part d'aquest recaurà sobre tots en la mateixa proporció (art. 1844 CC).

Segons l'art. 1845 CC davant l'acció de reembossament exercitada per un dels cofiadors, la resta li poden oposar les mateixes excepcions que hauria tingut el deutor principal contra el creditor, sempre que no siguin personals del mateix deutor.

En els supòsit de subfiança, el subfiador, en cas d'insolvència del fiador per qui es va obligar, queda responsable als cofiadors en els mateixos termes que ho estava el fiador (art. 1846 CC).

4.4. L'extinció de la fiança

L'obligació del fiador s'extingeix al mateix temps que la del deutor, és a dir, amb l'extinció de l'obligació del deute.

La fiança també s'extingeix, subsistint l'obligació garantida, per les causes genèriques d'extinció de les d'obligacions que són:

a) La condonació o remissió de la fiança que es produeix quan el creditor voluntàriament renuncia al seu dret de garantia;

b) La confusió dels drets del deutor i el fiador quan un d'ells here-ta de l'altre, que en canvi no extingeix l'obligació del subfiador (art. 1848 CC);

c) La confusió de drets entre el creditor i el fiador; i

d) La compensació dels deutes que tant el deutor principal com el creditor deuen al fiador.

I, en darrer terme, la fiança s'extingeix en els supòsits següents:

a) Si el creditor accepta voluntàriament un immoble o altres efec-tes en pagament del deute, malgrat que els perdi després per evicció, queda lliure el fiador (art. 1849 CC)

b) L' alliberació feta pel creditor a un dels fiadors sense el consen-timent dels altres, aprofita a tots fins on abasta la part del fiador a qui s'ha atorgat (art. 1850 CC)

c) La pròrroga concedida al deutor pel creditor sense el consenti-ment del fiador extingeix la fiança (art. 1851)

d) Els fiadors, malgrat que siguin solidaris, queden lliures de la seva obligació sempre que per algun fet del creditor no puguin quedar subrogats en les drets, hipoteques i privilegis d'aquest (art. 1852 CC).

4.5. La fiança derivada de la llei o del mandat judicial

D'acord amb l'art.1854 CC, el fiador que s'hagi de donar per dis-posició legal o providència judicial ha de tenir les mateixes qualitats que prescriu l'art. 1828 CC. Així, l'obligat a donar fiador ha de presentar persona que tingui capacitat d'obligar-se i béns suficients per respondre de l'obligació que garanteix. El fiador s'entendrà sotmès a la jurisdicció del Jutge del lloc on aquesta obligació s'ha de complir. Si el fiador es torna insolvent, el creditor en pot demanar un altre que reuneixi les qualitats necessàries si no és que el creditor ha pactat que se li donés per fiador una persona determinada (art. 1829 CC).

S'estableixen algunes normes especials per a la fiança derivada de la llei o del mandat judicial: Si l'obligat a prestar fiança no la pot fer es possibilita la substitució de la fiança per una garantia real de penyora o hipoteca (art. 1855 CC), i el fiador (i el subfiador) judicial no pot demanar l'excussió de béns del deutor principal (ni del fiador) (art. 1856 CC).

Lliçó 8
Compliment de l'obligació

1. EL PAGAMENT O COMPLIMENT DE L'OBLIGACIÓ

1.1. Concepte i funcions

Els termes de pagament i compliment s'utilitzen habitualment com a sinònims. Malgrat que sovint la noció de pagament es refereix a l'entrega de diners dels deutes pecuniaris, ho és també la realització d'altres prestacions. El pagament o compliment és la forma normal per la que s'ha de produir l'extinció de l'obligació (art. 1156 CC).

El compliment de l'obligació constitueix la finalitat perseguida per les parts i es concreta en el comportament del deutor consistent en l'execució exacta i puntual de la prestació deguda (art. 1157 CC).

En el compliment de l'obligació, el deutor ha d'actuar amb la diligència deguda, que ve determinada per la naturalesa de l'obligació i segons les circumstàncies de les persones, del temps i del lloc. És la que s'ha especificat expressament en l'obligació o, a manca d'aquesta previsió, la que es coneix com la "diligència del bon pare de família" (art. 1104 CC).

Ambdues parts, deutor i creditor, han d'actuar en la relació obligatòria d'acord amb el principi de bona fe (arts. 7 CC i 111-7 CC-Cat), és a dir, la seva conducta s'ha de caracteritzar per l'honradesa, la transparència i la consideració dels interessos de l'altra part, i han de cooperar entre sí pel compliment de l'obligació.

Les principals funcions del compliment de l'obligació són: l'extintiva de la relació obligatòria, l'alliberatòria del deure jurídic que pesa sobre el deutor i la satisfactiva de l'interès del creditor.

Normalment aquestes tres funcions es produeixen de forma cumulativa, però es poden dissociar, així: no es produeix la funció extintiva ni s'allibera el deutor, per bé que si es satisfà el dret de crèdit, quan el pagament el fa un tercer que se subroga al deutor (arts 1158,1209 i 1210 CC); s'allibera el deutor malgrat que no es satisfà l'interès del creditor en els supòsits de pagament al creditor aparent (art. 1164 CC); i potser que no es satisfaci plenament el dret de crèdit quan el deutor pagui a un tercer (art. 1163 CC).

El pagament es caracteritza per:

a) Ser un acte jurídic en sentit estricte en tant que fet derivat de la voluntat humana que comporta uns efectes *ex lege*, que són l'extinció de l'obligació (art. 1156 CC).

b) La irrellevància del seu autor. Pot realitzar vàlidament el pagament qualsevol persona, tret que es tracti d'una obligació personalíssima (art. 1158 i ss CC).

c) Ha de coincidir total i absolutament amb la prestació compromesa. El pagament o compliment únicament és vàlid i produeix efectes extintius de l'obligació si reuneix els següents requisits: d'una banda, requisits objectius que fan referència a la prestació que s'ha d'executar; d'una altra, requisits subjectius relatius a les persones que el poden efectuar o rebre; i també els derivats de les circumstàncies del lloc i el temps en els que s'ha de realitzar la prestació.

1.2. Requisits objectius: el principi del pagament exacte

Els requisits objectius pretenen que la prestació executada coincideixi exactament amb la prestació deguda, per això s'exigeix que sigui íntegra, idèntica i total o indivisible:

Que la prestació executada ha de ser íntegra significa que s'ha de realitzar per complet la prestació compromesa (art. 1157 CC). En les obligacions de donar, la integritat exigeix entregar també els fruits de la cosa (art. 1095 CC) els interessos deguts i tots els seus accessoris malgrat que no hagin estat mencionats (art. 1168 CC). La integritat suposa no solament la realització de l'obligació principal, sinó també la realització de totes aquelles altres obligacions que depenguin d'aquesta.

La prestació executada ha de ser igual o idèntica a la compromesa, de manera que el deutor no pot complir amb una prestació distinta. Lògicament, en les obligacions de donar, la identitat es refereix a la cosa entregada i el deutor no pot obligar al creditor a que rebi una cosa diferent, malgrat que aquesta sigui d'igual o major valor que la deguda (art. 1166.1 CC). Si l'obligació no expressa la seva qualitat i circumstàncies, la cosa és indeterminada o genèrica i el creditor no podrà exigir la de qualitat superior ni el deutor entregar la de qualitat inferior (art. 1167 CC).

Quan el deute és de diner, el pagament s'ha de fer amb l'entrega l'espècie monetària pactada i si no fos possible l'entrega d'aquesta es pot complir entregant la suma d'euros equivalent (art. 1170.1 CC). El pagament també es pot realitzar amb l'entrega de pagarés, talons, lletres de canvi o altres documents mercantils, però cal que ho accepti el creditor. En aquest cas, els efectes del pagament es produiran quan s'hagin realitzat i, mentre, l'acció derivada de l'obligació primitiva quedarà en suspens (art. 1170.3 CC). Ara bé, l'entrega de títols valors mercantils si que produeix l'eficàcia directa del pagament quan per culpa del creditor s'haguessin perjudicat (esdevingui impossible la conversió en diners, art. 1170.2 CC).

En les obligacions de fer, la identitat de la prestació comporta que només amb la voluntat del creditor es pot substituir una conducta per una altra, especialment en les obligacions personalíssimes (art. 1166.2 CC). En aquest sentit es disposa que en les obligacions de fer el creditor no pot ser compel·lit a rebre la prestació o el servei d'un tercer quan la qualitat i les circumstàncies de la persona del deutor es van tenir en compte a l'establir l'obligació (art. 1161 CC).

En darrer terme, la prestació s'ha d'executar en la seva totalitat o de forma indivisible (art. 1169.1 CC). Això suposa que s'ha de complir en un sol acte i no per parts, sempre que no es tracti d'obligacions en les que intervenen una pluralitat de subjectes, supòsits en els que regeix un règim jurídic especial.

En les obligacions periòdiques el principi d'indivisibilitat s'aplica a cadascuna de les prestacions separadament, i el rebut del darrer termini d'un dèbit, si el creditor no expressa el contrari, extingirà l'obligació pel que fa als terminis anteriors (art. 1110.1 CC).

Com a excepció a aquest principi d'indivisibilitat l'art. 1169.2 CC disposa que quan el deute tingui una part líquida i una altra il·líquida el creditor podrà exigir al deutor el pagament de la primera sense esperar que es liquidi la segona.

En tot cas, el pagament parcial és possible quan s'ha pactat expressament o l'autoritza el creditor.

1.3. Subjectes del pagament: el solvens i l'accipiens

A la persona que efectua el pagament se l'anomena *solvens* i a la que el rep *accipiens*. Aquests subjectes poden coincidir amb el deutor i el creditor de l'obligació, però també poden no ser els mateixos.

1.3.1. El solvens. El pagament de tercer

Quant a la capacitat d'obrar i la legitimitat del *solvens* per rebre el pagament cal distingir en funció del tipus l'obligació.

En les obligacions de donar, en les que la prestació consisteix en l'entrega d'una cosa amb transferència de la propietat el *solvens* ha de tenir poder de disposició sobre aquesta i capacitat per alienar-la (capacitat d'obrar). El pagament per qui no té la capacitat legal requerida, no té la lliure disposició sobre la cosa, o no és el seu propietari, en principi, no és un pagament vàlid i pot ser repetit com principi general. Excepcionalment no procedeix la repetició quan el pagament consisteixi en una quantitat de diners o cosa fungible si el creditor l'hagués gastat o consumit de bona fe (art. 1160 CC). La bona fe del creditor en aquest cas és el desconeixement de la falta de capacitat o poder de disposició del *solvens*.

En les obligacions de fer i de no fer s'ha d'estar a les regles generals sobre capacitat d'obrar.

En principi, l'autor de la prestació és irrellevant, això significa que a més del deutor, el pagament el pot fer, sempre que la prestació no tingui caràcter personalíssim (art. 1161 CC), una tercera persona en nom del deutor i com a representant seu —legal o voluntari— (art. 1713 CC).

També pot fer el pagament un tercer sense representació, que pot tenir interès en el compliment de l'obligació (així, el deutor solidari art. 1210.3 CC), pot tenir interès en adquirir l'obligació per subrogació (art. 1210.1 CC) o pot no tenir cap interès (art. 1210.2, 1159 CC), i tant si ho aprova com si ho ignora el deutor.

El deutor pot conèixer el pagament i aprovar-lo expressa o tàcitament (si no s'hi oposa), pot ignorar-lo i pot oposar-s'hi. La seva actitud davant el pagament té conseqüències pel que fa als efectes d'aquest.

El pagament de tercer pot tenir dos efectes diversos. D'una banda, pot comportar l'extinció de la relació obligatòria i el naixement d'una nova obligació pel deutor front el tercer i, d'una altra, la subrogació en el crèdit.

Quan es produeix l'extinció de l'obligació, el que ha pagat per compte d'un altre podrà reclamar del deutor allò que hagués pagat, amb l'acció de reemborsament, sempre que no ho hagi fet contra la seva expressa voluntat (art. 1158.2 CC). En el cas que hi hagi oposició expressa del deutor només es podrà repetir del deutor allò en el que li hagués estat útil el pagament, amb l'acció útil o d'enriquiment, que és allò que el deutor hagués pagat al oposar les excepcions de les que disposés al creditor (art. 1158 CC).

Per contra, quan té lloc la subrogació, el tercer es col·loca en el lloc del creditor, de manera que el que hi ha és un canvi de creditor en la relació obligatòria. El tercer pot compel·lir el creditor a subrogar-li els seus drets únicament quan ha pagat imputant-ho al deutor i amb el seu coneixement (art. 1159 CC).

1.3.2. L'accipiens. El pagament a persona diferent del creditor

L'*accipiens* del pagament naturalment serà la persona a favor de la qual està constituïda l'obligació (art. 1162 CC) o el creditor actual si hi ha hagut successió en el crèdit (*inter vivos o mortis causa*).

És suficient que l'*accipiens* tingui la capacitat necessària per administrar béns, atès que per a ell el pagament comporta una adquisició, de manera que poden rebre el pagament a més dels qui tenen plena capacitat d'obrar, els pròdigs, concursats, menors emancipats i els menor majors de setze anys respecte els béns que hagin adquirit amb el seu treball. El pagament també és vàlid i allibera el deutor malgrat que *l'accipiens* no compti amb aquesta capacitat si li ha resultat útil, l'ha beneficiat (art. 1163 CC).

L'accipiens també ha de tenir disponibilitat del crèdit (ésser el creditor actual) i aquest li ha de correspondre i no estar limitat (per exemple per haver estat ordenada judicialment la retenció del deute, art. 1165 CC).

En el supòsit de successió *mortis causa o inter vivos* del crèdit, el creditor que ha de rebre el pagament (el creditor actual) és diferent d'aquell en favor de qui originàriament es va constituir. Són els hereus (art. 1257 CC) o el cesionari (art. 1527 CC). En aquest darrer cas, s'exigeix que la cessió del crèdit hagi estat notificada al deutor, ja que si aquest ho ignora i paga al cedent, queda alliberat.

El pagament també es pot fer a una tercera persona, diferent de la creditora autoritzada per a rebre'l. És persona distinta del creditor autoritzada per rebre el pagament el representant legal del menor o incapacitat. També pot rebre el pagament la persona a la que el creditor hagi apoderat per actuar en el seu nom (representació voluntària representativa) o a qui simplement hagi autoritzat per rebre el pagament (autorització no representativa, art. 1162 CC).

Quan el deutor paga de bona fe (creient que és el legítim creditor) a una tercera persona diferent del creditor i de persona autoritzada a rebre el pagament es parla del pagament al creditor aparent. Aquest pagament (que no satisfà l'interès del creditor), pot alliberar el deutor si es compleixen els següents requisits (art. 1164 CC):

a) Bona fe del *solvens*, que desconeixi que la persona a qui paga no és el creditor, sempre que tingui motius raonables per caure en l'error. La bona fe no es presumeix, així que s'ha de demostrar.

b) Que el tercer tingui l'aparença versemblant de ser el legítim creditor.

El creditor legítim es pot dirigir contra el creditor aparent per recuperar el que hagi cobrat però no pot reclamar res al deutor.

Al marge dels supòsits del tercer legitimat per rebre el pagament i del creditor aparent, també serà vàlid el pagament fet a un tercer en quant hagués estat d'utilitat al creditor (art. 1163.2 CC).

Mereix una especial menció el pagament de les obligacions pecuniàries per ingrés en compte bancari, que no està regulat en el nostre ordenament. Les entitats bancàries poden intervenir en el cobrament de diverses formes: poden ésser designades pel creditor per a rebre el pagament (el creditor ha establert aquesta forma de pagament); poden identificar-se amb un creditor aparent (per estar en possessió del títol); i poden, malgrat ser un tercer, suposar el pagament útil al creditor (per ex. quan s'ingressa en un compte bancari). En tot cas, el pagament mitjançant ingrés en un compte bancari s'entén vàlid si el creditor el coneix i no s'hi oposa.

1.3.3. El pagament mitjançant targeta de crèdit

Les obligacions pecuniàries també es poden complir mitjançant el pagament amb targeta de crèdit. Amb aquest sistema, el deutor, que és el titular de la targeta l'entrega al creditor (normalment un establiment mercantil, però cada cop també més professionals i altres agents) per pagar el bé o servei mitjançant les operacions electròniques oportunes, que normalment suposen un càrrec en el compte bancari del titular de la targeta. Aquest mitjà de pagament solament opera quan el creditor l'ha acceptat prèviament i s'ha afiliat a alguna entitat bancària per possibilitar-lo.

Les targetes bancàries, conegudes també com diner de plàstic, poden ser de diversos tipus i operen de formes diferents:

a) Les targetes pròpiament de crèdit, amb elles les entitats bancàries avancen al titular de la targeta la quantitat corresponent al pagament que s'efectua. D'aquesta manera amb l'entrega de la targeta es fa una designació de nou deutor a qui es dirigeix el creditor per cobrar el seu crèdit. El deutor originari queda alliberat del seu crèdit i neix una nova relació obligatòria entre aquest i l'entitat.

b) Les targetes de dèbit. En aquest cas no hi ha préstec o crèdit per part de l'entitat bancària al titular, sinó que la targeta serveix per disposar del compte bancari. Amb la seva entrega al creditor el titular de la targeta fa una transferència immediata de la quantitat de diner concreta al compte del creditor. Representa doncs, solament la substitució de l'entrega de diner efectiu pels apunts bancaris, electrònics o informàtics corresponents. En aquest cas el pagament té immediatament efectes extintius, alliberadors i satisfactoris.

c) Les targetes comercials. Són emeses per empreses comercials a favor dels seus clients i suposen l'existència de pactes sobre quan i com es paga. Normalment contemplen una acumulació i un aplaçament de tots els pagaments que s'exigeixen conjuntament al final del termini establert, i potser un fraccionament del pagament. A voltes també poden comportar la concessió de crèdit.

d) Les targetes electròniques. En aquestes targetes, el seu titular ingressa una quantitat de diners en una entitat financera de forma semblant a si ho fes en un compte corrent, però no requereix de compte bancària. Funcionen de forma semblant a les targetes de dèbit, però en aquest cas el límit de disponibilitat de la targeta és la quantitat que en cada moment estigui ingressada en la mateixa, per això s'anomenen també targetes pre-pagament.

1.4. El lloc del pagament

El pagament o compliment de l'obligació s'ha de realitzar en el lloc designat. Si no s'ha expressat i tractant-se de l'entrega d'una cosa determinada, el pagament s'haurà de fer on aquesta existia en el moment que es va constituir l'obligació. En les obligacions de fer o no fer, el lloc de l'obligació coincideix amb el de la realització de l'activitat. En qualsevol altre cas, i a falta de regles especials aplicables, el lloc del pagament serà el domicili del deutor (art. 1171 CC).

1.5. El temps del pagament

El pagament o compliment de l'obligació s'ha d'efectuar en el temps pactat (moment previst).

Si no s'indica una altra cosa, les obligacions són pures i, per tant, exigibles des que es constitueixen perquè regeix la regla general de l'exigibilitat immediata de la prestació (art. 1113 CC).

Però també pot ser que el compliment de l'obligació es subjecti a l'arribada d'un termini (obligacions sotmeses a termini) o al compliment d'una obligació (obligacions condicionals), llavors les obligacions solament seran exigibles quan arribi el dia (art. 1125 CC) o succeeixi l'esdeveniment del que l'obligació depèn (art. 1114 CC).

Si de la naturalesa i circumstàncies de l'obligació es dedueix que s'ha volgut concedir un termini al deutor que no ha quedat degudament determinat seran els tribunals qui el fixaran, igual que si aquest s'ha deixat a la voluntat del deutor (art. 1128 CC).

El deutor perdrà el dret a utilitzar el termini:

1) Si després de contreta l'obligació resulta insolvent, tret que garanteixi el deute;

2) Quan no atorgui al creditor les garanties a que s'hagués compromès; i

3) Quan per actes propis hagués disminuït aquelles garanties després que fossin establertes i quan per cas fortuït desaparegueren, a menys que siguin immediatament substituïdes per altres noves igualment segures (art. 1129 CC).

Al pagament puntual de l'obligació es contraposa el pagament tardà o retardat i el pagament anticipat. Ambdós casos són, en principi, pagaments irregulars.

El pagament anticipat requereix que l'obligació no hagi estat constituïda com a immediata, sinó que el seu compliment s'hagi previst en un determinat termini i la prestació s'executi abans que aquest es compleixi. El compliment anticipat pot derivar d'un acord d'ambdues parts (deutor i creditor) i aleshores és vàlid. Si manca aquest acord s'haurà de distingir en funció de a qui beneficia el termini fixat, perquè la part en favor de la qual s'ha establert el termini hi pot renunciar. Així, si afavoria únicament al deutor, aquest pot renunciar al termini i el creditor no es pot oposar al pagament anticipat sense entrar en mora *creditoris*. Per contra, si el termini s'havia establert en benefici del creditor, aquest hi pot renunciar i exigir el pagament anticipat i si el deutor no compleix anticipadament incorre en mora debitoris.

L'art. 1126 CC estableix que el que es paga anticipadament en les obligacions a termini no es pot repetir i que si el *solvens* ignorava, quan va realitzar el pagament, l'existència del termini (el pagament anticipat es deu a un error sobre el temps del compliment) té dret a reclamar al creditor els interessos o els fruits que aquesta hagués percebut de la cosa.

El pagament retardat, malgrat que constitueix una infracció de l'obligació no impedeix el compliment ni suposa un incompliment definitiu (tret del supòsit de termini essencial), sense perjudici de provocar conseqüències com la situació de mora del deutor i la conseqüent indemnització dels danys i perjudicis ocasionats pel retard.

1.6. La prova del pagament

La prova del pagament li ha de servir al deutor per demostrar que s'ha alliberat de la seva obligació perquè ha complert la prestació. Atès que les normes civils no contenen cap norma especial en relació a la prova del pagament, cal estar a la regla general, segons la qual correspon al deutor (en realitat a qui al·lega el fet) la prova del pagament per la qual són admissibles tots els mitjans admesos per la llei (art 299 LEC).

L'obligació del creditor d'expedir al deutor un rebut de pagament, si que està expressament prevista a l'art. 123-2.2 de la Llei 22/2010, de 20 de juliol, del Codi de Consum de Catalunya, que estableix que les persones consumidores tenen dret a rebre dels proveïdors de béns i serveis una còpia del contracte, la factura, el rebut o el justificant dels pagaments efectuats en què consti, almenys, la identitat personal o social i fiscal del proveïdor o proveïdora, l'adreça, la quantitat pagada, el concepte pel qual se satisfà i la data. El rebut té el valor d'una confessió extrajudicial.

1.7. Les despeses del pagament

Les despeses del pagament són totes aquelles necessàries per executar la prestació, és a dir, les de preparació de la prestació i situació en el lloc de compliment.

Si no s'ha disposat una altra cosa, per regla general, les despeses extrajudicials que ocasioni el pagament seran a compte del deutor. Aquesta regla general pot no operar quan la norma que reguli una relació obligatòria concreta n'estableixi una altra diferent (així, per exemple, en relació a les relacions de consum) o les parts hagin acordat altrament.

Pel que fa a les despeses judicials ho decidirà el Tribunal d'acord amb la Llei d'Enjudiciament Civil (art 1168 CC).

2. IMPUTACIÓ DEL PAGAMENT EN CAS DE PLURALITAT DE DEUTES

Quan entre les mateixes persones (un deutor i un creditor) existeixen diversos deutes vençuts de la mateixa naturalesa i es realitza un pagament cal determinar quin d'ells es considera pagat.

Pot existir un conveni entre les parts que ho indiqui expressament, però a falta d'aquest correspon al deutor la facultat d'imputar el pagament a un dels diferents deutes (*favor debitoris*). En aquest sentit s'estableix que qui tingui diferents deutes a favor d'un sol creditor podrà declarar, al temps de fer el pagament, a quin s'ha d'aplicar. Si el deutor no ho especifica i accepta del creditor un rebut en que es fa l'aplicació del pagament no podrà reclamar contra aquesta si no hi hagués causa que invalidi el contracte (art. 1172 CC).

Amb tot, si un deute produeix interessos, no es pot estimar fet el pagament a compte del capital fins que no estiguin coberts els interessos (art. 1173 CC).

Quan no es pugui imputar el pagament segons les regles anteriors, s'estimarà satisfet el deute més onerós al deutor entre els que estan vençuts, i si aquests fossin d'igual naturalesa i gravamen, el pagament s'imputarà a tots a prorrata (art. 1174 CC).

3. PAGAMENT DE L'INDEGUT

El pagament té causa en l'existència d'una obligació prèvia. Si aquesta no existeix, el *solvens* disposa d'acció per a obtenir la restitució del que hagués entregat *solvendi* causa o del seu equivalent pecuniari. És de l'acció de repetició de l'indegut. En tractar-se d'un acte lícit i voluntari, aquest pagament s'insereix en els quasi contractes. El deure de restitució de l'accipiens, que és el suposat creditor, es fonamenta en la manca de causa *solvendi,* d'aquí l'obligació que sorgeix sigui al seu càrrec.

El pagament de l'indegut és una atribució sense causa que provoca un enriquiment injust de *l'accipiens.* En aquest sentit, es disposa que quan es rep alguna cosa que no hi havia dret a cobrar i que per error ha estat entregada indegudament, sorgeix l'obligació de restituir-la (art. 1895 CC).

Els requisits de l'obligació de restitució són doncs:

a) L'existència d'una prestació o atribució patrimonial consistent en l'entrega d'una cosa realitzada *solvendi causa;*

b) La inexistència d'obligació que la fonamenti (*indebitum*): per raó de la persona (perquè paga qui no és deutor o es paga a qui no és creditor *indebitum ex persona*) o per raó del deute (l'obligació o no ha existit mai, és nul·la, ja ha estat extingida o es paga de més *indebitum ex re*);

c) L'error del *solvens* pel que fa a l'existència de l'obligació. Altrament l'acció que correspon al *solvens* és la general de l'enriquiment injust.

La prova del pagament incumbeix al que pretén haver-lo fet i la prova de l'error a qui l'ha patit. Amb tot, no caldrà que el *solvens* provi l'error si el demandat nega haver rebut la cosa. El demandat pot demostrar que si se li devia el que va rebre (art. 1900 CC).

Cal tenir en compte que d'acord amb l'art. 1901 CC es presumeix que hi va haver error en el pagament quan es va entregar una cosa que mai es va deure o que ja estava pagada i, en tot cas, aquell a qui es demana la devolució pot provar que l'entrega es va fer a títol de liberalitat o per una altra justa causa.

El contingut del deure de restitució de *l'accipiens* depèn de si és de mala o bona fe (de si coneix o no el caràcter d'indegut de l'atribució). Si *l'accipiens* és de mala fe ha de restituir la cosa o si això és impossible el seu equivalent pecuniari, més els interessos legals o els fruits percebuts en el seu cas, i respon dels danys i la pèrdua de valor que hagi pogut patir la cosa sempre que no siguin per cas fortuït i s'haguessin produït igual si hagués estat en el poder de l'actor (art. 1896 CC).

Quan *l'accipiens* és de bona fe només respondrà de les pèrdues de la cosa quan se n'hagués enriquit i si l'hagués alienat restituirà el preu o cedirà l'acció per fer-lo efectiu (art. 1897 CC).

D'acord amb l'art. 1899 CC no ha de restituir qui creient que el pagament es feia per compte d'un crèdit legítim i subsistent, hagués inutilitzat el títol o deixat prescriure l'acció, o abandonat les penyores, o cancel·lat les garanties del seu dret. Qui va pagar indegudament només es podrà dirigir contra el veritable deutor o els fiadors en relació als quals l'acció estigui viva.

Quant a les despeses i millores en la cosa per part de qui la rep indegudament s'està al que es disposa el en seu de possessió (arts. 552-2 a 552-5 CCCat).

Lliçó 9
Els subrogats del compliment

1. ELS SUBROGATS DEL COMPLIMENT. CONCEPTE I FUNCIÓ

Els subrogats del compliment són uns procediments que substitueixen el pagament, en els que la satisfacció de l'interès del creditor o la realització de la prestació per part del deutor i l'alliberament del seu deute es produeixen de forma distinta a la inicialment programada. Tots ells faciliten alguna de les funcions típiques del pagament.

Són supòsits típics de subrogats del compliment:

a) La consignació de les coses degudes

b) La compensació

c) La dació de béns en pagament de deutes

d) El pagament per cessió de béns

e) La condonació del deute

La consignació de les coses degudes i la compensació són procediments d'alliberació forçosa del deutor, i la dació en pagament i les cessions solutòries suposen la realització d'una prestació distinta a la inicialment acordada. La condonació del deute extingeix l'obligació sense que es dugui a terme la prestació.

2. LA CONSIGNACIÓ DE LES COSES DEGUDES

El deutor té la facultat d'alliberar-se de la seva obligació quan ha actuat diligentment el deure de la seva prestació i no ha pogut fer el pagament per una causa que no li és imputable.

La consignació és un mitjà d'alliberació del deutor que només opera quan la prestació consisteix en una obligació de donar o en una obligació de fer que es resol en un donar i consisteix en l'entrega i dipòsit de les coses degudes, en poder de l'autoritat judicial o d'un notari, quan el creditor es nega, sense justa causa, a rebre-les, o quan per qualsevol causa no imputable al deutor no pot tenir lloc el pagament directe al creditor.

Si el creditor a qui es fa l'oferiment del pagament es nega sense raó a admetre'l, el deutor quedarà lliure de responsabilitat mitjançant la consignació de la cosa deguda (art. 1176.1 CC). Així, doncs, en la consignació es distingeixen dues fases:

1. L'oferiment del pagament: és un pressupòsit de la consignació. Consisteix en una declaració de voluntat unilateral i receptícia del deutor dirigida al creditor, que no ha d'acceptar injustificadament el pagament incorrent així en mora. La dita declaració no requereix cap forma especial, però correspondrà al deutor la càrrega de la prova que s'ha dut a terme, per la qual cosa és habitual que es realitzi mitjançant requeriment notarial.

No és necessari l'oferiment del pagament quan el creditor es troba absent o quan es troba incapacitat per rebre el pagament en el moment en que s'ha de fer. Amb el ben entès que no es refereix a una absència ni una incapacitat declarades judicialment, supòsits en que s'hauria nomenat un representant legal a qui el deutor podria fer el pagament i no es presentaria la situació d'impossibilitat d'efectuar-lo requerida, sinó de situacions de fet. Tampoc és necessari l'oferiment del pagament quan vàries persones pretenguin tenir dret a cobrar o s'hagi extraviat el títol de l'obligació (art. 1176.2 CC).

2. El procediment judicial de consignació: Es tracta d'un procediment de jurisdicció voluntària que es troba regulat als articles 98 i 99 de la Llei 15/2015, de 2 de juliol, de la Jurisdicción Voluntaria. La consignació ha de ser anunciada a les persones interessades en el compliment de l'obligació —creditors, deutors solidaris, fiadors...— (art. 1177.1 CC). Després es procedirà al dipòsit judicial de les coses posant-les a disposició de l'autoritat judicial amb el compliment dels requisits del pagament, això és, identitat, integritat i indivisibilitat del pagament (art. 1177.2 CC). Un cop efectuada la consignació també

s'haurà de notificar a les persones interessades a qui prèviament hagués estat anunciada (art. 1178 CC).

Perquè la consignació produeixi efectes és necessari que el creditor l'accepti o recaigui declaració judicial que està ben feta. Abans que aquestes declaracions es produeixin el deutor podrà retirar la cosa o quantitat consignada deixant subsistent l'obligació (art. 1180.2 CC). Si feta la consignació el creditor autoritza el deutor a retirar-la perdrà tota preferència que pugui tenir sobre la cosa i els codeutors i fiadors quedaran lliures (art. 1181 CC).

La Ley de Jurisdicción Voluntaria va modificar l'art. 69 de la Llei de 28 de maig de 1862, del Notariado, que actualment contempla la possibilitat que la consignació es faci també dipositant les coses degudes a un notari qui requerirà al creditor perquè accepti el pagament. Si el creditor el rebutja, però, el notari tornarà el bé al deutor i s'arxivarà l'expedient.

Les despeses de la consignació procedent seran a càrrec del creditor (art. 1179 CC).

Feta degudament la consignació es produeix l'extinció de l'obligació i l'alliberament del deutor i el deutor pot demanar a l'autoritat judicial que mani cancel·lar l'obligació (art. 1180.1 CC).

3. LA COMPENSACIÓ

La compensació té lloc quan dues persones per dret propi són recíprocament creditores i deutores una de l'altra (art. 1195 CC) i produeix l'extinció d'ambdues obligacions en la quantitat concurrent (art. 1202).

Es tracta d'un altre mitjà alliberador del deutor que ve a simplificar el compliment substituint dos o més pagaments per un de sol, alhora que respon a la situació objectivament injusta de la reclamació d'un pagament per part de qui té un deute amb el demandat (*dolo facit qui petit quod rediturus est*).

Per tal que procedeixi la compensació s'han de donar els següents requisits (art. 1196 CC):

1. Que cadascun dels obligats ho estigui principalment i sigui alhora creditor principal de l'altre.

2. Que ambdós deutes consisteixin en una quantitat de diner o, essent fungibles las coses degudes, siguin de la mateixa espècie i també de la mateixa qualitat, si aquesta s'hagués designat.

3. Que els dos deutes estiguin vençuts.

4. Que siguin líquids i exigibles.

5. Que sobre cap d'ells hi hagi retenció o contesa promoguda per terceres persones i notificada oportunament al deutor.

No procedeix la compensació quan algun dels deutes provingui de dipòsit o de les obligacions del dipositari o comodatari, ni es podrà oposar al creditor d'aliments deguts per títol gratuït —que han d'atendre les necessitats imprescindibles de l'alimentista— (art. 1200 CC).

També el fiador podrà oposar la compensació respecte del que el creditor degués al seu deutor principal (art. 1197 CC).

Els deutes a pagar en llocs diferents es poden compensar mitjançant indemnització de les despeses de transport o canvi de lloc del pagament (art. 1199 CC).

Si una persona tingués varis deutes compensables s'observarà en l'ordre de la compensació les nomes de la imputació de pagaments (art. 1201 CC).

En cas de cessió de crèdit, s'estableix que el deutor que hagués consentit la cessió feta per un creditor a favor d'un tercer, no podrà oposar al cessionari la compensació que li correspondria contra el cedent. Si el creditor li va fer saber la cessió i el deutor no la va consentir, pot oposar la compensació dels deutes anteriors a aquesta, però no la dels posteriors. I si la cessió es realitza sense coneixement del deutor, podrà aquest oposar la compensació dels crèdits anteriors i dels posteriors fins que hagués tingut coneixement de la cessió (art. 1198 CC).

L'efecte de la compensació és extingir els deutes en la quantitat concurrent, malgrat que no en tinguin coneixement els creditors i deutors (art. 1202 CC).

4. LA DACIÓ EN PAGAMENT

La dació en pagament té lloc quan el creditor accepta l'entrega d'uns béns diferents a aquells en que consistia l'obligació constituïda.

En termes més generals, es produeix quan amb el consentiment del creditor el compliment de l'obligació es dur a terme mitjançant la realització d'una prestació diferent a la inicialment establerta (*aliud per alio*).

El Codi Civil no regula expressament la dació en pagament, però la seva validesa es fonamenta en el principi general de l'autonomia privada (art. 1255 CC).

La dació en pagament requereix, en tot cas, un conveni entre el deutor i el creditor dirigit a aconseguir la satisfacció de l'interès del creditor mitjançant una prestació diferent a l'originalment estipulada. El conveni de la dació en pagament no substitueix l'obligació antiga per la nova (novació), ni suposa pròpiament un canvi d'objecte de la relació obligatòria, sinó que estableix una altra forma d'extingir la relació obligatòria ja existent: la realització de la nova prestació compleix el conveni de dació en pagament, extingeix l'obligació inicialment estipulada i allibera el deutor.

Si el deutor no compleix el contracte de dació, el creditor podrà demanar el compliment o la resolució del contracte (art. 1124 CC) conservant, en aquest darrer cas el dret a exigir el compliment de la prestació inicial.

D'altra banda, si la cosa donada en pagament es perd per evicció el creditor pot exercitar l'acció de sanejament per evicció prevista per a la compravenda i aplicable a totes les transmissions de caràcter onerós (arts. 621-43 i 621-30 CCCat).

Amb tot, el conveni de dació en pagament en el que el creditor accepta una prestació substitutòria allibera el fiador de l'obligació primitiva, malgrat que el creditor perdi després per evicció els béns donats en pagament (art. 1849 CC).

Val a dir que sí contempla expressament la dació en pagament el Real Decret llei 6/2012, de 9 de març, de medidas urgentes de protección de deudores hipotecarios sin recursos, en el Código de buenas prácticas para la reestructuración viable de las deudas con garantía hipotecaria sobre la vivienda habitual, que conté com annex i que és d'adhesió voluntària per part de les entitats de crèdit, quan preveu la possibilitat que el deutor entregui, en pagament del seu deute i amb eficàcia solutòria, l'habitatge adquirit amb el préstec garantit amb la hipoteca. En tot cas estableix un seguit de requisits al deutor o deutors cotitulars per poder beneficiar-se de la dació en pagament. Fonamentalment: 1) Que la hipoteca gravi un immoble que sigui habitatge habitual i el preu de compravenda del qual no excedeixi de determinats valors; 2) Que la persona estigui en el llindar d'exclusió; 3) Que els membres de la unitat familiar no tinguin rendes del treball o per activitats econòmiques ni altres béns patrimonials suficients per satisfer el deute; 4) Que la quota resultat sigui superior al 60% dels ingressos nets de la unitat familiar; i 5) Que el préstec hipotecari sigui únicament per la compra de l'habitatge habitual i no hi haguessin altres garanties ni altres intervinents.

I també l'art. 333-10.2 del Codi de Consum de Catalunya, en seu de sancions, contempla la possibilitat que en el supòsit de crèdits i préstecs hipotecaris, l'òrgan al qual correspon resoldre l'expedient pugui acordar la dació en pagament o altres mesures complementàries, sempre que hi hagi una relació directa entre la clàusula o la pràctica abusiva o deslleial i la mesura adoptada.

5. EL PAGAMENT PER CESSIÓ DE BÉNS

Amb el pagament per cessió de béns, el deutor entrega tot o part dels seus béns al creditor a qui autoritza i encarrega que els alieni i es cobri amb el seu producte.

A falta de pacte en contrari, aquesta cessió només allibera el deutor de responsabilitat per l'import líquid dels béns cedits. En el cas que l'import líquid obtingut pels creditors fos superior al dels deutes, l'excedent l'entregaran al deutor (art. 1175 CC).

El pagament per cessió de béns, a diferència de la dació en pagament, no comporta efectes solutoris immediats (*datio pro soluto*) sinó que l'extinció es produirà total o parcialment quan es liquidin els béns i es destini l'import a la satisfacció dels creditors (*datio pro solvendo*).

Els creditors conserven el dret a cobrar la part del crèdit que no s'hagi realitzat amb els béns presents i futurs del deutor (art. 1911CC).

La dació judicial s'estén a tots els béns del deutor i comporta la situació de concurs amb la participació de tots els seus creditors, quan n'hi ha més d'un. Precisament la pluralitat de creditors comporta l'aplicació de les regles pròpies del concurs de creditors (Ley 22/2003, de 9 de juliol, Concursal)

6. LA CONDONACIÓ DEL DEUTE

La condonació del deute es produeix en els cassos en que el creditor manifesta la seva voluntat d'extingir total o parcialment el seu dret de crèdit sense rebre res a canvi com a pagament, de manera que s'allibera el deutor sense que es produeixi l'efecte de satisfacció del creditor.

Normalment la condonació del deute respon a un ànim de liberalitat del creditor i presenta *causa donandi* per la qual cosa comparteix la naturalesa jurídica de la donació. Però també pot respondre a altres interessos, així, pot tenir una causa transaccional, de manera que es condona un deute com a contraprestació a que l'altra part dugui a terme determinada conducta; o la condonació parcial, pot respondre l'interès del creditor de cobrar al menys una part del crèdit. En aquests darrers casos no hi ha *animus donandi*.

La condonació pot ser expressa o tàcita. En tot cas, el Código Civil fa una remissió a alguns dels preceptes que regulen les donacions (art. 1187 CC), per bé que s'haurà de limitar als supòsits en que efectivament existeixi *l'animus donandi*. Es disposa, d'una banda, que la condonació, tant si es fa de forma expressa com tàcita, resta sotmesa a les normes de les donacions inoficioses, i pot ésser reduïda pels legitimaris (arts. 451-24 CCCat); i d'una altra, que la condonació expressa s'haurà d'ajustar a les normes de la forma de la donació (art. 531-12 CCCat).

Existeixen dos supòsits en que la llei presumeix (*iuris tantum*) la condonació tàcita. El primer és l'entrega del document privat justificatiu d'un crèdit, que feta voluntàriament pel creditor al deutor, implica la renúncia de l'acció que el primer tenia contra el segon. Si per invalidar aquesta renúncia es pretengués que és inoficiosa, el deutor i els seus hereus podran sostenir-la provant que l'entrega del document es va fer en virtut del pagament del deute (art. 1188 CC).

El segon supòsit de condonació tàcita previst expressament és que sempre que el document privat del que resulti el deute estigui en poder del deutor es presumirà que el creditor el va entregar voluntàriament, a no ser que es demostri el contrari (art. 1189 CC).

Com a resultat de l'aplicació dels principis generals, la condonació del deute principal extingeix les obligacions accessòries, però la d'aquestes deixarà subsistent la primera (art. 1190 CC). Per aquest motiu es disposa que es presumeix condonada l'obligació accessòria de penyora, quan la cosa pignorada, després de ser entregada al creditor, es trobi en poder del deutor (art. 1191 CC).

Lliçó 10
Incompliment i responsabilitat contractual

1. L'INCOMPLIMENT. SUPÒSITS

L'art. 1101 CC estableix que queden subjectes a la indemnització dels danys i perjudicis causats els que en el compliment de les seves obligacions incorregueren en dol, negligència o morositat i els que de qualsevol altre mode contravingueren el tenor de l'obligació.

En termes generals es pot dir que hi ha incompliment sempre que el deutor infringeix el seu deure jurídic d'execució exacta i puntual de la prestació deguda.

Les situacions que poden donar lloc a l'incompliment són:

a) Que el deutor no realitzi cap prestació: això podrà donar lloc a la constitució del deutor en mora si el que hi ha és un retard de la prestació, o a l'incompliment definitiu si la prestació mai s'arriba a executar.

b) Que el deutor realitzi una prestació defectuosa o no exacta, diferent a l'establerta en la constitució de l'obligació, i aquí es parla de compliment (o incompliment) defectuós.

La responsabilitat que es deriva de l'incompliment és de naturalesa patrimonial i universal (comprèn tots els béns presents i futurs, art. 1911 CC). I és també una responsabilitat subjectiva, perquè neix en cas de culpa o dol del deutor en el compliment de l'obligació però que no s'origina quan l'incompliment és degut a un fet aliè a la voluntat del deutor, és a dir, a un cas fortuït o força major (successos que no es podien preveure o que previstos fossin inevitables, art. 1105 CC).

2. LA MORA DEL DEUTOR: CONCEPTE, REQUISITS, EFECTES I CESSAMENT

La mora és un retard qualificat en el compliment de l'obligació quan aquest encara és possible.

L'art. 1100.1 CC disposa que incorren en mora els obligats a entregar o fer alguna cosa des que el creditor els exigeix judicial o extrajudicialment el compliment de la seva obligació. La qual cosa significa que per tal que pugui tenir lloc la mora del deutor cal que la prestació no es compleixi de forma puntual, però que es pugui complir amb retard i encara sigui idònia per satisfer l'interès del creditor, altrament hi hauria incompliment definitiu.

De la lletra de l'art. 1100 CC es dedueix que solament hi pot haver mora respecte les obligacions positives de donar o de fer —"obligats a entregar o fer alguna cosa"—. A més, l'obligació ha d'estar vençuda i ser exigible, i en les obligacions pecuniàries també ha de ser líquida.

Per regla general, la mora requereix que a més del retard en el compliment es produeixi la reclamació del deute per part del creditor al deutor, que és el que efectivament el constitueix en mora (retard qualificat). Aquesta interpel·lació o intimació en la que es demana el compliment de l'obligació és una declaració de voluntat unilateral i receptícia del creditor dirigida al deutor.

La llei no requereix una forma especial a aquesta reclamació, que diu pot tenir lloc per via judicial o extrajudicial. La reclamació judicial del deute —presentació de la demanda— constitueix el deutor en mora, com també ho fa la reclamació extrajudicial per mitjà d'un document públic —requeriment notarial— d'un document privat o fins i tot una petició verbal, per bé que cal considerar la conveniència de preconstituir la prova que correspon al creditor.

L'excepció l'estableix l'art. 1100.2 CC, que disposa que no serà necessària la intimació del creditor per tal que existeixi la mora quan:

1) L'obligació o la llei així ho declarin expressament; i

2) De la naturalesa i circumstàncies de l'obligació resulti que la designació de l'època en que s'havia d'entregar la cosa o fer el servei fos motiu determinat per establir-la.

Aquesta disposició s'ha d'interpretar en el sentit que no cal la intimació quan així ho disposa una llei (un exemple és el de l'art. 553-4.

4 CCCat, i en general el de les obligacions mercantils) o ho han pactat les parts expressa o tàcitament, doncs s'ha de descartar que el segon supòsit es refereixi a l'existència d'un termini essencial perquè aleshores el retard no conduiria a la mora sinó directament a l'incompliment definitiu. En tots aquests supòsits la mora en la que es constitueix l'obligació és automàtica.

Les obligacions recíproques de compliment simultani disposen en aquest punt d'una concreció del règim: cap dels obligats incorre en mora mentre l'altre no compleix o no accepta complir degudament el que l'incumbeix, i és des que un dels obligats compleix la seva obligació quan pot produir-se la mora de l'altre (art. 1100.3 CC). Essent així, en les obligacions recíproques incorre en mora l'incomplidor quan l'altra part compleix la seva obligació i li reclama; mentrestant, els retards —les mores— es neutralitzen (compensen) i s'anul·len recíprocament. Ens remetem aquí al que s'ha estudiat a la lliçó 5.

Els efectes de la constitució en mora comporten un règim especial de responsabilitat al deutor, que passa a respondre:

1) Dels danys i perjudicis que el retard en el compliment provoqui al creditor (art. 1101 CC).

   Si l'obligació consisteix en el pagament d'una quantitat de diners i el deutor incorre en mora, la indemnització de danys i perjudicis, si no hi ha pacte en contrari, consistirà en el pagament dels interessos convinguts i a falta de conveni, en el interès legal (art. 1108 CC); i

2) De la pèrdua fortuïta de la cosa deguda.

   Es desplaça el risc per la pèrdua de la cosa del creditor al deutor, de forma que si la cosa es perd o destrueix mentre el deutor està en mora, l'obligació no s'extingeix sinó que continua. És el que es coneix com a *perpetuatio obligationis*.

   En aquest sentit diu l'art. 1096.3 CC que si l'obligat es constitueix en mora seran al seu càrrec els cassos fortuïts fins que realitzi l'entrega; i també l'art. 1182 CC preveu que l'obligació que consisteixi en entregar una cosa determinada queda extingida quan es perd o destrueix sense culpa del deutor i abans que aquest quedi constituït en mora.

El cessament o purga de la situació de mora del deutor es produeix pel compliment retardat del deutor, que no extingeix la responsabilitat del deutor. També cessa la situació de mora per la renúncia del creditor a exigir la responsabilitat per mora del deutor; per la concessió d'una moratòria per voluntat del creditor o establiment de la llei; i per incórrer el creditor també en mora (compensació de mores).

3. EL COMPLIMENT DEFECTUÓS

L'execució d'una prestació defectuosa dona lloc a un compliment inexacte o defectuós de l'obligació, perquè el comportament del deutor no s'ajusta als requisits del pagament per produir els efectes alliberador i satisfactoris. La inexactitud es pot presentar en relació als subjectes del pagament, l'objecte de la prestació, el lloc o el temps de la prestació. També pot derivar de l'incompliment de prestacions accessòries.

A diferència del que succeeix en l'incompliment de la prestació i en la mora, en els que hi ha una total omissió de la prestació, en l'execució defectuosa hi ha un comportament positiu del deutor, però aquest no s'ajusta absolutament al que s'havia establert en la constitució de l'obligació.

No hi ha una regulació general del compliment defectuós i els seus efectes, però sí que existeixen normes específiques en seu de contractes típics que regulen les prestacions defectuoses o vicis de la prestació i que s'estudien en el volum de "Lliçons de dret de contractes". Aquí cal apuntar que s'haurà d'estar, especialment, al que es preveu en seu de contracte de compravenda, als arts 621-9 i ss. CCCat., per quant els principis que s'hi disposen són aplicables supletòriament a altres contractes onerosos, i també a les normes específiques que estableix el Codi de Consum de Catalunya.

En tot cas, també per aplicació dels principis generals, davant un compliment defectuós, el creditor té la facultat de negar-se a acceptar la prestació defectuosa (arts. 1166 i 1169 CC). Si ho fa, el que es dona és un supòsit de no prestació o incompliment definitiu. Si en canvi accepta el pagament coneixedor dels defectes de la prestació sense protesta ni reserva, l'acceptació sana els defectes i hi ha compliment alliberador pel deutor.

Però també pot succeir que el creditor no hagi refusat la prestació defectuosa perquè no ha pogut conèixer l'existència dels vicis fins després de rebre la prestació, o perquè els vicis són d'una importància que no justifica la negativa a acceptar la prestació, o que accepti la prestació formulant expressament reserva o protesta del caràcter defectuós (art. 621.28 CCCat). En aquests casos de prestació defectuosa, el creditor disposa de l'acció de compliment (art. 621-39 CCCat) per exercir una pretensió de correcció o rectificació de la prestació mitjançant la seva reparació o substitució per una altra. També pot exigir una rebaixa proporcional de la seva prestació a les obligacions recíproques (*actio quanti minoris*, art. 621-42 CCCat). I en tot cas, el deutor respondrà dels danys que li siguin imputables.

4. L'INCOMPLIMENT DEFINITIU

Es parla d'incompliment definitiu quan la prestació no s'executa de forma definitiva. És a dir, quan hi ha una omissió total de la prestació unida a la impossibilitat que aquesta s'executi en el futur. Això succeeix si:

a) El deutor es nega a complir: Tot i que la prestació encara és possible i podria satisfer l'interès del creditor, hi ha una manifesta i inequívoca voluntat del deutor de no complir, que deriva dels seus actes o declaracions i faculta al creditor a sol·licitar el compliment forçós de l'obligació i la corresponent indemnització pels danys i perjudicis ocasionats.

b) S'ha produït la frustració del fi de la relació: Tot i que la prestació és encara possible, la seva execució ja no satisfaria l'interès del creditor, bé perquè estava sotmesa a un termini essencial, bé perquè el retard és excessiu per mantenir la vinculació del creditor (impossibilitat transitòria que es perllonga en el temps).

c) Manca l'obtenció del resultat en les obligacions de fer i no fer: en les obligacions de resultat, per definició, es produeix l'incompliment quan el deutor ha desplegat l'activitat però no ha aconseguit el resultat compromès.

d) Impossibilitat sobrevinguda de la prestació: Quan la prestació esdevé impossible per motius aliens a la voluntat del deutor no es produeix el normal compliment de l'obligació. En rigor però, la impossibilitat de la prestació no és un supòsit d'incompliment sinó una forma d'extinció de l'obligació. Ens remetem al que s'estudia a la lliçó13.

5. RESPONSABILITAT CONTRACTUAL

L'incompliment o el compliment defectuós de la prestació pot ser degut (imputable) al comportament del deutor —que és el supòsit més freqüent— tot i que també a la conducta del creditor o fins i tot a la d'un tercer, per la qual cosa cal distingir els supòsits de responsabilitat del deutor i de lesió del crèdit pel creditor o tercers.

L'incompliment també pot ser conseqüència del succés d'un fet fortuït inevitable i imprevisible que no pugui ser imputat a cap persona i exclogui la responsabilitat. La determinació de la imputabilitat comportarà el deure d'assumir les conseqüències de la lesió del dret de crèdit, essencialment la de rescabalar els danys i perjudicis generats al creditor i permetrà determinar si el deutor queda alliberat de la seva obligació. Vegem-ho amb més deteniment:

5.1. Criteris d'imputació

La responsabilitat contractual del deutor neix de la infracció d'un deute preexistent. S'emmarca en el sistema —de responsabilitat subjectiva— establert a l'art. 1101 CC que disposa que queden subjectes a la indemnització dels danys i perjudicis causats els qui en el compliment de les seves obligacions incorrin en dol, negligència o morositat, i els qui de qualsevol forma contravingueren el tenor d'aquelles.

Existeixen dos criteris d'imputació al deutor de l'incompliment, que són el dol i la culpa o negligència:

El dol del deutor engloba les conductes contràries a la bona fe de l'obligat, que és conscient que amb la seva activitat ocasiona un dany al creditor i voluntàriament falta al seu compromís (vol no complir). La presència de dol comporta l'agravació de la responsabilitat del deutor (sanció, art. 1107 CC). A més, en cas de dol la responsabilitat resulta inderogable; en aquest sentit l'art. 1102 CC disposa que la responsabilitat procedent del dol és exigible en totes les obligacions, i que la renúncia de l'acció per fer-la efectiva és nul·la.

La culpa o negligència del deutor queda definida en l'art. 1104 CC, com l'omissió de la diligència que exigeixi la naturalesa de l'obligació i correspongui a les circumstàncies de les persones, del temps i del lloc. Quan l'obligació no expressi la diligència que s'ha de prestar en el seu compliment, s'exigirà la que correspondria a "un bon pare de família". Val a dir que el concepte del bon pare de família, que ha quedat absolutament superat, s'ha d'identificar amb el d'una persona raonable, i que la referència s'haurà de concretar en la d'un professional o pèrit en funció del supòsit concret quan es tenen presents les qualificacions de la persona en la realització de la prestació.

Tradicionalment s'han distingit tres graus de culpa que es corresponen en tres mesures de diligència: 1) La culpa lata, en cas de diligència mínima; 2) La culpa lleu, en cas de diligència mitja; i 3) La culpa llevíssima en cas de diligència màxima.

En tot cas, es pot entendre que la culpa és una infracció comesa sense malícia (falta de voluntat d'incomplir) per causes que s'haguessin pogut i degut evitar, en altres paraules, és l'omissió de la diligència exigible (art. 1107.1 CC).

Quan es demostra que l'incompliment ha estat conseqüència d'un cas fortuït, és a dir, d'un succés imprevisible i inevitable (no imputable) el deutor queda exonerat de responsabilitat. En aquest sentit, l'art. 1105 CC disposa que fora dels cassos expressament mencionats en la llei i dels que així ho declari l'obligació, ningú respondrà d'aquells successos que no s'haguessin pogut preveure o que previstos fossin inevitables. I això perquè el deutor solament respon dels incompliments originats en la seva esfera de control i no dels danys ocasionats per successos externs que no es poden superar amb la diligència que li és exigible —supòsits de cas fortuït—.

Certament, el cas fortuït exonera el deutor de responsabilitat. El cas fortuït s'ha d'identificar amb un succés que no es podia preveure o que previst fos inevitable (art. 1105 CC), i per concretar aquesta noció caldrà posar-la en relació amb la diligència exigible en cada cas concret —diligència pactada o la que correspon a una persona raonable o a un bon professional—. La qual cosa elimina la possibilitat d'exigir al deutor una diligència exorbitant de prevenir els danys o vèncer dificultats que resulta desproporcionada. D'aquesta manera el cas fortuït funciona com una causa de justificació i exclusió de la culpabilitat.

La càrrega de la prova de la culpabilitat del deutor correspon al creditor en les obligacions de mitjans (cal provar la culpa per demostrar l'incompliment), mentre que en les obligacions de resultat opera la inversió de la càrrega de la prova (la manca de resultat és en si mateix la prova de l'incompliment) i serà a càrrec del deutor que es pretén exonerar de responsabilitat la prova del cas fortuït (falta de culpa).

Cal assenyalar que les obligacions pecuniàries —i normalment també les obligacions genèriques— atesa la seva naturalesa, tenen un règim especial de responsabilitat, que comporta per norma general la responsabilitat objectiva pel deutor. I això perquè es parteix de la idea que, en aquests tipus d'obligacions el deutor sempre ha de poder complir perquè sempre és possible aconseguir la suma de diners o la cosa genèrica en qüestió per fer efectiva la prestació: la impossibilitat sobrevinguda no extingeix les obligacions genèriques (*genus nunquam perit*) i la impossibilitat financera és irrellevant de cara a la responsabilitat del deutor.

Quan el deutor és de bona fe, els danys i perjudicis dels que respon són els previstos o els que s'hagin pogut preveure al temps de constituir-se l'obligació i que siguin conseqüència necessària de la seva falta de compliment. Mentre que quan l'incompliment és dolós, el deutor respondrà de tots els que coneguded es derivin de la falta de compliment de l'obligació (art. 1107 CC).

Així doncs, en ordre a determinar l'abast de la responsabilitat del deutor cal distingir dos supòsits:

a) El deutor de bona fe respon del valor de la prestació i dels danys i perjudicis previsibles al moment de constituir-se l'obligació. Només un cas fortuït —no culpa— l'exonera.

Els tribunals poden moderar la responsabilitat que procedeixi de la negligència (art. 1103 CC)

b) El deutor dolós respon també de la resta de danys que es derivin de l'incompliment.

L'incompliment pot tenir causa en l'actitud del creditor que de manera dolosa o negligent provoca la destrucció o la pèrdua de la cosa que ha de ser objecte d'entrega o fa impossible el fer o servei promès pel deutor. També pot ésser conseqüència de la seva falta de col·laboració amb el deutor. Val a dir que la jurisprudència, amb base al principi de bona fe contractual (art. 1258 CC) exigeix al creditor el "deure de mitigar el dany", que implica que s'ha de conduir de forma adequada per reduir al màxim els danys que ocasioni l'incompliment del deutor, altrament serà el creditor qui haurà d'assumir el risc pels danys que podent evitar s'han generat.

La teoria de la concurrència de culpes tracta el problema de la concurrència de culpa en l'agent productor d'un dany i el perjudicat per aquest fet. Serveix per determinar si exclou la responsabilitat del deutor o si es produeix una compensació de culpes que porta a moderar o disminuir la seva responsabilitat per part dels tribunals. En aquesta línia, l'art. 621-37.4 CCCat estableix que "El comprador o el venedor que ha provocat l'incompliment de l'altre no pot recórrer a cap dels remeis que estableix aquest article" i és una clara mostra d'aquesta teoria.

5.2. Les clàusules de modificació de la responsabilitat del deutor

El sistema de responsabilitat del deutor establert per la llei pot resultar modificat per voluntat de les parts per a una concreta relació obligatòria. Amb aquesta finalitat, les parts poden incloure en els seus pactes clàusules de modificació de la responsabilitat legalment establerta, dirigides a exonerar-lo en determinats supòsits —clàusules d'exoneració de la responsabilitat— a limitar-la —clàusules de limitació de la responsabilitat— o a agreujar-la —clàusules d'agreujament de la responsabilitat—.

Les clàusules d'exoneració de la responsabilitat del deutor solament procedeixen en cas d'incompliment culpós. Si hi ha dol la renúncia a l'acció de responsabilitat és nul·la (art. 1102 CC).

El contingut de les clàusules de limitació de la responsabilitat pot ser divers. Poden establir una quantia màxima del rescabalament (pena convencional); fixar un determinar grau de diligència inferior al que correspondria a l'obligació, qualificar determinades situacions com a casos fortuïts o limitar la responsabilitat del deutor en el temps i el lloc.

Pel que fa a les clàusules d'agreujament de la responsabilitat del deutor poden anar dirigides, per exemple, a augmentar la quantia del rescabalament o a eliminar l'exoneració del deutor pel cas fortuït. Amb tot, cal tenir en compte que la legislació de consum qualifica i detalla les que suposen clàusules abusives i són nul·les de ple dret. En aquest punt cal estar al que disposa el Real Decreto 1/2007, de 16 de novembre, por el que se aprueba el texto refundido de la Ley General para la Defensa de los Consumidores y Usuarios y otras leyes complementarias; el Codi de Consum de Catalunya; i la Llei 18/2007, de 28 de desembre, del Dret a l'Habitatge.

6. LA LESIÓ DEL CRÈDIT PER TERCER

L'incompliment de l'obligació també pot ser ocasionat pel comportament de terceres persones estranyes a la relació obligatòria.

La lesió del dret de crèdit per terceres persones es produeix quan un tercer destrueix o deteriora les coses objecte de l'obligació o impossibilita o dificulta d'alguna manera que aquesta s'executi.

Com a mecanisme de compensació econòmica, en cas d'extinció de l'obligació per pèrdua de la cosa deguda, correspondran al creditor totes les accions que el deutor tingués contra tercers per raó de l'extinció de l'obligació (art. 1186 CC).

Si la conducta del tercer és culpable o dolosa, el creditor gaudeix de l'anomenada "tutela aquiliana del crèdit", que es fonamenta en la norma continguda a l'art. 1902 CC (responsabilitat extracontractual) d'acord amb la qual, qui per acció o omissió causa dany a un altre intervenint culpa o negligència, està obligat a rescabalar el dany causat.

El tercer que ha provocat la lesió del crèdit quedarà, així, obligat a indemnitzar els danys i perjudicis ocasionats al creditor quan hagi dut a terme una conducta que hagi provocat danys al creditor. La imputació dels danys al tercer requereix de la prova de la relació de causalitat entre els seus actes i el dany produït.

Altres supòsits de lesió del crèdit per tercer es produeixen:

a) Quan el tercer és un còmplice del deutor: en aquest cas el creditor podrà demanar responsabilitat contractual al deutor i actuar contra el tercer per la via de la responsabilitat extracontractual; i

b) Quan el tercer és un auxiliar del compliment: és un supòsit de responsabilitat contractual del deutor pel fet dels seus auxiliars o dependents.

7. LA MORA DEL CREDITOR: CONCEPTE, REQUISITS, EFECTES I CESSAMENT

La *mora credendi* o mora del creditor és la situació de retard en el compliment de l'obligació deguda a l'omissió per part del creditor de la conducta necessària per tal que el deutor pugui portar a terme la prestació (complir). Els pressupòsits de la mora del creditor són:

1) L'existència d'una obligació vençuda pel compliment de la qual és necessària la col·laboració del creditor;

2) La realització per part del deutor de tot el necessari per l'execució de la prestació i especialment l'oferiment del pagament (art. 1176.1 CC); i

3) La negativa del creditor a acceptar la prestació sense justa causa. No cal cap interpel·lació al creditor per tal que aquest entri en mora sinó solament que es produeixi la seva negativa sense raó a rebre la prestació.

I els efectes de la mora del creditor són:

a) El risc per pèrdua de la cosa deguda o per impossibilitat sobrevinguda de la prestació es trasllada al creditor;

b) Es compensa amb la mora del deutor si estigués incurs en ella i s'exclou en el successiu, és a dir impedeix que el deutor entri en mora;

c) Impossibilita la resolució en les obligacions sinalagmàtiques; i

d) El deutor de la prestació de donar es pot alliberar de la seva obligació mitjançant la consignació.

La situació de mora del creditor finalitza amb l'extinció de l'obligació del deutor, amb l'acord entre les parts d'un nou termini pel compliment i per l'acceptació o cooperació en el compliment per part del creditor.

Lliçó 11
La protecció del crèdit

1. LA PROTECCIÓ DEL CRÈDIT. LES MESURES DE TUTELA PREVENTIVA DEL DRET DE CRÈDIT

El creditor disposa d'un conjunt de mesures de tutela o defensa del seu dret de crèdit. Algunes es dirigeixen a protegir-lo preventivament, quan existeix un perill probable d'insatisfacció o lesió d'aquest dret de crèdit (tutela preventiva). Altres, representen la reacció de l'ordenament jurídic davant la insatisfacció consumada per falta d'execució o execució defectuosa de l'obligació del deutor i són l'acció de compliment, l'acció d'indemnització de danys i perjudicis, l'acció directa, l'acció subrogatòria o indirecta i l'acció revocatòria o pauliana.

Les mesures de tutela preventiva del crèdit s'atorguen al creditor per tal que aquest pugui evitar que el deutor arribi a incomplir la seva obligació, quan de les circumstàncies es deriva que existeix un raonable perill d'insatisfacció del seu interès.

Algunes d'elles s'estableixen amb caràcter especial per a obligacions concretes, per bé que les disposades en relació a la compravenda tenen una especial rellevància. Per aquest motiu cal destacar que l'art. 621-40 CCCat preveu la suspensió del pagament del preu o del compliment (total o parcial) de les obligacions al comprador i venedor: a) si han de complir llur obligació al mateix temps o després que l'altra part hagi complert les seves, i aquesta no les compleix; i b) si han de complir llur obligació abans que l'altra part, tenen motius raonables per a creure que l'altra part no complirà les seves obligacions i li notifiquen la suspensió.

Altres mesures de tutela preventiva de caràcter general, són:

a) El venciment anticipat de l'obligació a termini. En aquest sentit, l'art. 1129 CC disposa que el deutor perdrà el dret a utilitzar el termini quan: 1) Després de contreta l'obligació resulti insolvent, tret que garanteixi el deute; 2) No atorgui al creditor les garanties a que s'hagués compromès; i 3) Per actes propis hagués disminuït aquelles garanties després d'establertes i quan per cas fortuït desaparegueren, tret que siguin immediatament substituïdes per altres de noves i igualment segures.

b) L'embargament preventiu i altres mesures judicials d'assegurament del crèdit que contemplen els arts. 721 i ss. LEC i la caució substitutòria de les mesures cautelars (art. 746-747 LEC).

2. LA PROTECCIÓ DEL CONSUMIDOR O USUARI. LA GARANTIA COMERCIAL

La legislació de consum atorga una protecció especial al consumidor o usuari quan és part d'un contracte de compravenda de productes o d'un contracte de subministrament de productes que s'hagin de produir o fabricar. Les mesures que estableix no s'apliquen als productes adquirits mitjançant venda judicial, l'aigua, el gas, i l'electricitat, ni tampoc als productes de segona mà adquirits en subhasta administrativa (art. 115 LTRGDCU)

Bàsicament la dita protecció es concreta en l'exigència de la conformitat del producte i la disposició dels mecanismes orientats a aconseguir-la. El venedor està obligat a entregar al consumidor o usuari productes que siguin conformes amb el contracte, responent front aquest de qualsevol falta de conformitat que existeixi en el moment d'entrega del producte (art. 114 TRLGDCU). La conformitat dels productes entregats requereix que aquests (art. 116 TRLGDCU):

- S'ajustin a la descripció realitzada pel venedor
- Siguin aptes per als usos a què ordinàriament es destinin
- Siguin aptes per a qualsevol ús especial requerit pel consumidor quan n'hi ha posat en coneixement del venedor; i

– Presentin la qualitat i prestacions que el consumidor pugui esperar segons les declaracions públiques fetes pel venedor i el que consta en la publicitat o etiquetatge.

La incorrecta instal·lació s'equipara a la falta de disconformitat quan la instal·lació estigui inclosa en el contracte.

No hi haurà lloc a responsabilitat quan el consumidor les conegués en el moment de celebració del contracte o quan tinguin origen en els materials pel subministrats.

En tot cas, el consumidor tindrà dret a ser indemnitzat pels danys i perjudicis derivats de la manca de disconformitat.

El termini durant el qual el venedor respon de les faltes de conformitat és de 2 anys des de l'entrega, malgrat que es pot pactar a partir d'1 any. Es presumeix que les faltes de conformitat que es manifesten dins dels 6 mesos de l'entrega ja existien quan la cosa es va entregar (art. 123.1 TRLGDCU).

El consumidor ha d'informar el venedor de la falta de conformitat en el termini de dos mesos des de que la coneix. L'incompliment d'aquest termini no suposarà la pèrdua del dret al sanejament que correspongui, essent responsable el consumidor dels danys o perjudicis ocasionats pel retard en la comunicació (art. 123.5 TRLGDCU).

Quan el consumidor no es pugui dirigir contra el venedor podrà reclamar directament al productor, que respondrà de la falta de conformitat quan aquesta es refereixi a l'origen, identitat o idoneïtat dels productes, d'acord amb la seva naturalesa i finalitat. Qui hagi respòs front el consumidor disposarà del termini d'un any, a partir del sanejament, per repetir front el responsable de la falta de conformitat (art. 124 TRLGDCU).

L'acció prescriu als tres anys de l'entrega del producte (art. 123.4 TRLGDCU).

El consumidor o usuari el dret a la reparació del producte, la substitució del producte, la rebaixa del preu o la resolució del contracte (art. 118 TRLGDCU).

En primer terme, si el producte no és conforme, el consumidor pot optar entre la reparació o la substitució del producte, tret que alguna d'aquestes opcions resulti impossible o desproporcionada (arts. 119-120 TRLGDCU).

La reparació i la substitució seran gratuïtes i s'hauran d'executar en un termini raonable. En aquest temps es suspèn el còmput dels terminis en que el comprador pot exercir els seus drets

El venedor està obligat a donar justificació documental de l'entrega del producte, en la que consti la data de l'entrega i la falta de conformitat que origina l'exercici del dret (art. 123.2 TRLGDCU). Un cop reparat ha d'entregar també juntament amb el al producte justificació documental en la que consti la data de l'entrega i la reparació efectuada (art. 123.3 TRLGDCU).

Si acabada la reparació el producte segueix essent no conforme, el consumidor pot exigir la substitució, la rebaixa o la resolució del contracte.

El consumidor no pot escollir la substitució en el cas de productes no fungibles ni de segona mà.

El consumidor optarà entre la rebaixa del preu i la resolució del contracte quan no pugui escollir la reparació o la substitució i quan aquestes no s'haguessin efectuat en un termini raonable. La resolució no procedirà quan la falta de conformitat sigui d'escassa importància (art. 121 TRLGDCU).

La rebaixa del preu serà proporcional a la diferència existent entre el valor que el producte hagués tingut en el moment de l'entrega de ser conforme i el valor que el producte entregat tenia en el moment de l'entrega (art. 122 TRLGDCU).

La protecció del consumidor o usuari es pot veure reforçada per l'existència d'una garantia comercial. La garantía comercial és la que el venedor o fabricant pot oferir addicionalment amb caràcter voluntari.

La garantia comercial s'ha de formalitzar en castellà o català i per escrit o un altre suport durador i accessible al consumidor i ha d'expressar:

- el bé o servei sobre el que recau
- el nom i direcció del garant
- que no afecta els drets legals del consumidor per manca de conformitat
- els drets addicionals que concedeix

- el termini de durada de la garantia i el seu abast territorial
- las vies de reclamació

L'acció per reclamar el disposat a la garantia addicional prescriu als sis mesos de finalització del termini de garantia (art. 125 TRLD-GCU).

En els productes de naturalesa duradora s'haurà d'entregar forma-litzada per escrit i amb el contingut anterior, la garantía comercial, en la que constarà expressament els drets legals del consumidor davant la falta de conformitat i que aquests són independents i compatibles amb la garantía comercial (art. 126 TRLDGCU).

En els productes de naturalesa duradora, el consumidor tindrà dret a un adequat servei tècnic i a l'existència de recanvis durant el termini mínim de cinc anys a partir que es deixi de fabricar el producte.

Es prohibeix incrementar els preus dels recanvis al aplicar-los a les reparacions i carregar per mà d'obra, trasllat o visita quantitats superiors als costos mitjans estimats en cada sector.

El dret a recuperar els productes entregats pel consumidor a l'em-presari per a la seva reparació prescriurà als tres anys de la entrega (art. 127 TRLDGCU).

3. L'ACCIÓ DE COMPLIMENT DE L'OBLIGACIÓ

Davant l'incompliment consumat del deutor, el creditor no pot forçar la realització coactiva de l'obligació, per exemple prenent pel seu compte la cosa deguda o altres béns del deutor, cas en que fins i tot podria incórrer en el delicte de realització arbitrària del propi dret art. 455 CP. Per aconseguir satisfer el seu interès ha d'acudir als tribunals de justícia i exercitar l'acció de compliment de l'obligació seguint els procediments legalment establerts.

El creditor pot sol·licitar directament l'execució forçosa de l'obli-gació (acudir al procediment executiu) només si disposa d'un títol executiu, que pot ser de naturalesa judicial o extrajudicial. Així: sen-tència de condemna ferma, laudes o resolucions arbitrals i acords de mediació elevats a escriptura pública, resolucions judicials que apro-vin o homologuin transaccions judicials i acords aconseguits en el procediment, escriptures públiques, pòlisses de contractes mercantils, títols al portador o nominatius i certificats d'anotacions a compte (art. 517 LEC).

A falta de títol executiu, el creditor haurà d'iniciar un procediment previ declaratiu per obtenir una sentència judicial i sol·licitar-ne després l'execució incoant un procediment executiu (art. 545.1 LEC). Això sense perjudici de les especificitats dels judicis canviari (art. 819 a 827 LEC) i monitori (art. 812 a 818 LEC).

Quan el deutor ha incomplert o ha complert parcialment o de forma defectuosa, el creditor té dret, en primer lloc, a que es satisfaci el seu interès en forma específica, això és, a que el deutor realitzi la prestació pactada o rectifiqui el defecte de la prestació executada —execució *in natura*—. Per això es podran esgotar totes les possibilitats d'atendre aquest compliment específic complint a expenses o a costa del deutor.

En alguns casos, però, no es pot exigir el compliment específic. En aquest sentit, art. 621-38.2 CCCat l'exclou: a) Si és impossible o ha esdevingut il·lícit; i b) Si els costos que se'n deriven són desproporcionats respecte al benefici que n'obtindria el comprador.

Quan no sigui possible o resulti excessivament onerosa l'execució *in natura* —de forma subsidiària— s'haurà de recórrer a l'execució per equivalent. El compliment de l'obligació per equivalent —pecuniari— consisteix en l'abonament d'una quantitat o suma de diners que representa el valor de la prestació pactada i que ja no es pot efectuar in natura (*aestimatio rei*).

En seu de compravenda, l'art. 621-37 CCCat disposa que el compliment específic en el cas del comprador inclou la reparació o la substitució del bé no conforme, i en aquesta matèria també pot resultar aplicable el que estableix el Codi de Consum en relació a la reparació i substitució dels productes.

Quan l'obligació és sinal·lagmàtica, davant l'incompliment, el perjudicat pot demanar la resolució del vincle i així obtenir, si és el cas, la restitució de la prestació que ell ha prestat. L'art. 1124 CC permet al creditor optar entre exigir el compliment o resoldre l'obligació, en cas d'obligacions recíproques. També en seu de contracte de compravenda, l'art. 621-41 CCCat atorga la facultat de resolució del contracte a una de les parts davant l'incompliment de l'altra. Ens remetem al que s'ha explicat a la Lliçó 5.

Juntament amb l'acció de compliment —en forma específica o per equivalent— o amb l'acció resolutòria, el creditor pot reclamar el rescabalament dels danys i perjudicis que li ha ocasionat l'incompliment mitjançant l'acció de rescabalament (art. 1101 CC).

4. L'EXECUCIÓ FORÇOSA DE LA PRESTACIÓ DEGUDA

Cal distingir l'execució forçosa en forma específica de les obligacions de donar, de fer i de no fer:

En les obligacions de donar, el creditor, pot compel·lir el deutor a que realitzi l'entrega (art. 1096.1 CC):

a) Si es tracta d'una cosa moble determinada, el tribunal posarà el creditor executant en possessió de la cosa deguda mitjançant els constrenyiments necessaris i amb auxili de la força pública si cal. En cas que no es trobés la cosa deguda, aquesta es substituirà per una justa compensació econòmica (art. 701 LEC)

b) Si es tracta d'una cosa indeterminada o genèrica, el creditor podrà demanar que se'l posi en possessió de les coses degudes o se'l faculti perquè les adquireixi a expenses del deutor, ordenant l'embargament de béns suficients per fer l'adquisició (art. 1096.2 CC i 702 LEC).

c) Si la condemna disposés la transmissió o entrega d'un bé immoble, el tribunal podrà disposar el que correspongui per adequar el Registre al títol executiu (art. 703 LEC)

Si l'obligat es constitueix en mora, o s'ha compromès a entregar una cosa a dues o més persones diverses, seran del seu compte els casos fortuïts fins que es realitzi l'entrega (art. 1096.3 CC).

En les obligacions de fer, el tribunal requerirà el deutor perquè executi la prestació dins d'un termini que fixarà segons la naturalesa del fer i les circumstàncies que concorrin (art. 705 LEC):

a) Si es tracta d'una obligació de fer no personalíssima, si l'executat no dur a terme la conducta en el termini assenyalat, l'executant podrà demanar que se'l faculti per encarregar-ho a un tercer a costa de l'executat o reclamar el rescabalament de danys i perjudicis (art. 1098 CC, 706 LEC).

b) Si la resolució condemna a emetre una declaració de voluntat (ex. elevar un contracte de compravenda privat a d'escriptura pública), passats 20 dies el tribunal resoldrà mitjançant aute tenir per emesa la declaració de voluntat si estiguessin predeterminats els elements essencials del negoci, i aquesta podrà ésser inscrita als registres corresponents (art. 708 LEC).

c) Si es tracta d'una obligació de fer de caràcter personalíssim, el creditor pot optar entre l'entrega d'un equivalent pecuniari de la prestació o sol·licitar que es constrenyi el deutor executat amb una multa per cada mes que transcorri sense complir des de la finalització del termini i passat un any decidir entre executar l'equivalent pecuniari o aplicar altres mesures idònies per la satisfacció de l'executant (art. 709 LEC).

En les obligacions de no fer si el deutor ha fet el que li havia quedat prohibit es decretarà a instància de l'executant per tal que desfaci el que estigui mal fet si fos possible, indemnitzi els danys i perjudicis causats i s'abstingui de reiterar el trencament advertint-lo de la possibilitat d'incórrer en el delicte de desobediència a l'autoritat judicial (art. 1099 CC, 710 LEC).

5. LA REDUCCIÓ DEL PREU

En alguns casos, el creditor pot estar interessat en acceptar una prestació incompleta o defectuosa o diferent de la pactada si es redueix el preu. Tradicionalment aquest remei es coneix com *actio quanti minoris* i està recollit expressament en el nostre ordenament en seu de compravenda. Així, l'art. 621-43 CCCat disposa que "1. El comprador que accepta un compliment no conforme al contracte pot demanar la reducció del preu. 2. La reducció del preu ha d'ésser proporcional a la diferència entre el valor del bé en el moment del seu lliurament i el que tindria si fos conforme al contracte. 3. El comprador que ha exercit la facultat de reduir el preu pot demanar la restitució del preu pagat de més i, addicionalment, una indemnització per altres danys que hagi sofert."

Aquest remei també es contempla en l'art. 1553.2 CC en seu d'arrendament, per a les vendes de consum a l'art. 161 TRLGDCU i per la compravenda internacional de mercaderies a l'art. 50 CISG, i la jurisprudència l'ha estès a altres relacions com els contractes d'obra (STS 15 de març de 1979) i la compravenda de béns immobles amb base en l'art 1101 CC (STS 22 d'abril de 2004).

6. LA INDEMNITZACIÓ DELS DANYS I PERJUDICIS

El creditor, davant l'incompliment del deutor pot demanar la indemnització pels danys i perjudicis exclusivament o de manera complementària a la resolució o al compliment en forma específica.

L'art. 1101 CC disposa que queden subjectes a la indemnització dels danys i perjudicis causats els que en el compliment de les seves obligacions incorregueren en dol, negligència o morositat i els que de qualsevol forma les contravingueren.

Per tal que procedeixi la indemnització cal provar que s'ha produït un dany i que aquest ha estat conseqüència de l'incompliment (és el que s'anomena "nexe de causalitat").

També cal que el deutor hagi actuat amb dol o negligència d'acord amb el que s'ha explicat a la lliçó anterior.

La indemnització pels danys i perjudicis comprèn el valor de la pèrdua que efectivament hagi patit (dany emergent) i el guany que ha deixat d'obtenir (lucre cessant) (art. 1106 CC).

El dany emergent és el dany generat per l'incompliment sobre el patrimoni del creditor i s'estén també al dany moral en la persona del creditor entès com a patiment físic o espiritual derivat de la lesió del crèdit. El lucre cessant el constitueixen els guanys que s'han deixat d'obtenir com a conseqüència dels béns que no han accedit al patrimoni del creditor.

En tot cas, com ja s'ha vist, l'extensió dels danys a indemnitzar depèn de si el deutor és de bona o mala fe:

El deutor de bona fe únicament respon dels danys previstos o que s'haguessin pogut preveure al temps que es va constituir l'obligació i que siguin conseqüència necessària de la seva falta de compliment. És a dir, dels danys que habitualment s'associen a la falta de compliment (art. 1107.1 CC).

El deutor dolós, en canvi, respon de tots els danys que coneguda-
ment es derivin de la falta de compliment de l'obligació (art. 1107.2
CC)

7. L'ACCIÓ DIRECTA

Únicament poden utilitzar aquesta acció els creditors a favor dels
quals la llei l'hagi previst expressament. Amb l'acció directa el cre-
ditor es pot dirigir per a cobrar el seu crèdit directament contra el
deutor del seu deutor en nom propi. Amb això es persegueix que el
creditor cobri d'aquell sense necessitat de que allò obtingut passi tan
sols pel patrimoni del seu deutor (cobra directament del deutor del
seu deutor). En aquest cas no es tracta d'un recurs subsidiari, ja que
no és necessari que abans d'exercitar aquesta acció el creditor hagi
perseguit pel altres mitjans els béns del deutor.

El CC concedeix acció directa en els següents supòsits concrets:

a) L'arrendador té acció directa contra el subarrendatari per
   l'import convingut en el subarrendament pel cobrament del seu
   crèdit (art. 1552 CC).

b) Qui posa el treball o indústria o aporta els materials en el con-
   tracte d'obra es podrà dirigir contra l'amo de l'obra per la
   quantitat que aquest degui al contractista (art. 1597 CC).

c) El mandant es pot dirigir directament contra la persona o per-
   sones a les quals s'ha transmès l'execució del mandat (art. 622-
   26.3 CCCat).

8. L'ACCIÓ SUBROGATÒRIA O INDIRECTA

L'acció subrogatòria o indirecta atorga al creditor la facultat
d'exercitar els drets i accions del seu deutor quan aquest es manté
inactiu i deixa d'augmentar el seu patrimoni perjudicant el creditor;
així quan el deutor no fa efectius els seu crèdits o exerceix els seus
drets per adquirir mitjans de pagament. S'hi refereix l'art. 1111 CC
que disposa que els creditors, després d'haver perseguit els béns dels
que estigui en possessió el deutor per realitzar el que els deu, poden

exercitar tots els drets i accions d'aquest amb el mateix fi, exceptuant els que siguin inherents a la seva persona.

Es tracta d'una acció subsidiària a la que el creditor solament pot recórrer quan no pugui obtenir la satisfacció del seu crèdit d'una altra forma. Per això cal que es donin els següents pressupòsits: a) Que el creditor disposi d'un títol executiu; b) La insolvència del deutor; i c) La inactivitat del deutor en relació als seus propis drets de crèdit.

El creditor, que actua en nom propi i en interès propi —i no en representació del deutor— està legitimat per llei per exercitar un dret del seu deutor que porti al patrimoni d'aquell els béns que li corresponen però que no havia reclamat (no hi ha en rigor una autèntica subrogació del creditor pel deutor). Això li permetrà resoldre la insolvència del deutor i cobrar el seu crèdit i, en definitiva, satisfer el seu interès.

L'objecte de l'acció subrogatòria són tots els drets i accions vençuts i exigibles del deutor amb independència que siguin de data anterior o posterior a la del crèdit. Però no són exercitables pel creditor els drets de la personalitat del deutor ni aquells en els que s'apreciï un interès personalíssim malgrat que tinguin una part de contingut patrimonial.

Amb tot, cal tenir en compte que el creditor no es pot cobrar directament el que s'obtingui de l'exercici de l'acció subrogatòria, sinó que això anirà a integrar el patrimoni del deutor (per això s'anomena també acció indirecta) i per tant beneficiarà també, si escau, als altres creditors, de manera que el creditor després haurà d'exercitar l'acció de compliment, i concorrerà d'acord amb les nomes relatives a la prelació de crèdits sense que haver actuat per subrogació li comporti cap tipus de privilegi per cobrar abans que els altres creditors del mateix deutor.

9. L'ACCIÓ REVOCATÒRIA O PAULIANA

L'acció revocatòria o pauliana permet al creditor aconseguir la ineficàcia dels actes que hagi realitzat el deutor que el perjudiquen perquè deixen el deutor en una situació d'insolvència patrimonial que l'impedeix complir llurs obligacions. És, en definitiva, una acció rescissòria que exercita el creditor en nom propi contra els actes fraudulents del deutor que el situen en la insolvència.

L'art. 1111 CC disposa que els creditors, després d'haver perseguit els béns de que estigui en possessió el deutor per a realitzar el que se'ls deu també poden impugnar els actes que el deutor hagi realitzat en frau dels seus drets. Estableix així el principi de subsidiarietat també per l'acció revocatòria —com per la subrogatòria— que solament podrà exercir el creditor quan no pugui cobrar d'una altra manera el que se li deu.

En la mateixa línia, l'art. 1291.3 CC estableix que són rescindibles els contractes celebrats en frau dels creditors, quan aquests no puguin cobrar el que se'ls deu d'una altra forma; i l'art. 1294 CC dicta que l'acció de rescissió és subsidiària i només es podrà exercitar quan el perjudicat no disposi de cap altre recurs legal per obtenir la reparació del perjudici.

El creditor haurà de provar el caràcter fraudulent de l'acte impugnat. Per això es podrà valer de les dues presumpcions de frau que recull l'art. 1297 CC: d'una banda, es presumeixen celebrats en frau de creditors tots aquells contractes pels quals el deutor disposi béns a títol gratuït (presumpció *iure et de iure*); i d'una altra, també es presumeixen fraudulentes les disposicions a títol onerós fetes per persones contra les quals s'hagués pronunciat abans sentència condemnatòria en qualsevol instància o expedit manament d'embargament de béns (presumpció *iuris tantum*).

L'efecte de l'acció és la ineficàcia de l'acte fraudulent en la mesura en hi hagi perjudici del creditor, per la qual cosa la ineficàcia pot ser solament parcial i l'acte es manté en el que no hi hagi perjudici per aquell (ineficàcia relativa). A diferència del que succeeix amb l'acció subrogatòria, aquí si la rescissió és parcial i si hi ha altres creditors també defraudats, aquests han de tornar a impugnar l'acte per cobrar el que se'ls deu perquè l'acció revocatòria solament aprofita el creditor impugnant.

El tercer que va contractar amb el deutor haurà de restituir a aquest tot el que d'ell hagués rebut i una vegada ingressat en el patrimoni del deutor podrà ésser objecte d'agressió per part del creditor. Amb tot, no procedirà la rescissió quan les coses objecte del contracte estiguessin legalment en poder de terceres persones que no haguessin procedit de mala fe. En aquest cas es podrà reclamar el rescabalament dels perjudicis al causant de la lesió (art. 1295.2 i.3 CC).

L'art. 1299 CC disposa un termini de caducitat de l'acció de 4 anys a comptar des de la data de l'acte fraudulent.

D'altra banda, la normativa catalana regula l'acció de revocació de les donacions a l'art. 531-14 CCCat que estableix que "No perjudiquen els creditors dels donants les donacions que aquests atorguin després de la data del fet o de l'acte del qual neix el crèdit si manquen altres recursos per a cobrar-lo". En aquest cas, l'acció no té caràcter subsidiari sinó que es tracta d'una acció principal. Quan s'impugna un acte gratuït del deutor, el resultat és l'afectació dels béns que no ingressen en el patrimoni del deutor sinó que segueixen en el patrimoni del donatari que és qui haurà de suportar l'execució.

10. PLURALITAT DE CREDITORS: PREFERÈNCIA I PRELACIÓ DE CRÈDITS

10.1. Els crèdits privilegiats

Recordem que la responsabilitat del deutor té com a suport el seu patrimoni, és a dir la totalitat dels seus béns presents i futurs (art. 1911 CC). Quan el patrimoni del deutor no és suficient per fer front a tots els seus deutes s'està davant una situació d'irresponsabilitat per la insolvència del deutor (que té més deutes exigibles que actiu realitzable o béns amb els que fer-ne front).

Davant la situació d'insolvència del deutor els creditors, quan són més d'un, poden iniciar un procediment d'execució col·lectiva o concurs que situa la persona del deutor en una determinada situació en la que es limita el seu poder de disposició i posa el seu patrimoni a l'administració de tercers i el sotmet a liquidació.

El concurs és un procediment judicial d'execució universal o col·lectiva que busca agrupar tots els creditors d'un deutor insolvent, a fi i efecte de realitzar ordenadament els béns del deutor per satisfer els creditors en la mesura del que resulti possible, atenent al principi d'igual condició d'aquests i als privilegis o preferències que els puguin correspondre. Està regulat a la Llei 22/2003, de 9 de juliol, Ley Concursal.

S'inicia amb la declaració de concurs en cas d'insolvència d'un deutor comú que no pot complir regularment les obligacions que li són exigibles i procedeix respecte qualsevol deutor, tant si és una persona natural com si és una persona jurídica.

Però també és possible un exercici extraconcursal dels privilegis. En aquest sentit, l'art. 1028 CC disposa que quan hi hagi judici pendent entre els creditors sobre la preferència dels seus crèdits seran pagats per l'ordre i segons el grau que assenyali la sentència ferma de graduació. I a falta de judici pendent entre els creditors, seran pagats els que primer es presentin; però constant que algun dels crèdits coneguts és preferent, no es farà el pagament sense prèvia caució a favor del creditor de millor dret.

En la mateixa línia, l'art. 1921 CC estableix que els crèdits es classificaran per a la seva graduació i pagament, per l'ordre que s'estableix en el capítol del Código Civil dedicat a "la classificació dels crèdits" i afegeix que en cas de concurs, la classificació i graduació dels crèdits es regirà pel que estableix la Llei 22/2003, de 9 de juliol, Ley Concursal.

Per regla general, tots els creditors que concorren quan el patrimoni del deutor és insuficient per fer front al total dels seus deutes tenen igual condició. Això significa que en cas d'execució, si no poden ser satisfets tots els crèdits completament perquè el patrimoni del deutor és insuficient, s'ha de procedir a fer un repartiment proporcional entre tots ells de forma que tots pateixin a prorrata la insolvència del deutor. És el que es coneix amb l'expressió de llei del dividend o *par conditio creditorum*.

Amb tot, aquesta regla general té excepcions amb altres regles que graduen o classifiquen els crèdits, declarant a uns preferents envers els altres (crèdits preferents o privilegiats). Així, el caràcter privilegiat d'un crèdit consisteix en una excepció del principi d'igualtat de tracte dels creditors establerta per la llei. Els motius d'aquestes preferències poden ser de política social (ex. salaris i sous dels treballadors), de política econòmica (ex. crèdits hipotecaris), o de justícia commutativa (ex. crèdits per construcció o reparació de béns mobles).

Les regles del Código Civil que regulen la preferència entre els crèdits al són les següents:

– Els privilegis mobiliaris es concedeixen als creditors en relació al producte obtingut per la venta de determinats béns mobles del deutor. En relació a determinats béns mobles del deutor, gaudeixen de preferència (art. 1922 CC):

1) Els crèdits per construcció, reparació, conservació o preu de venda de béns mobles que estiguin en poder del deutor, fins on arribi el valor dels mateixos.

2) Els garantits amb penyora que es trobi en poder del creditor, sobre la cosa empenyorada i fins on arribi el seu valor.

3) Els garantits amb fiança d'efectes o valors, constituïda en establiment públic o mercantil, sobre la fiança i pel valor dels efectes de la mateixa.

4) Els crèdits per transport, sobre els efectes transportats, pel preu del mateix, despeses i drets de conducció i conservació, fins al lliurament i durant trenta dies després d'aquest.

5) Els d'hostalatge, sobre els mobles del deutor existents a l'hostal.

6) Els crèdits per llavors i despeses de conreu i recol·lecció anticipats al deutor, sobre els fruits de la collita perquè van servir.

7) Els crèdits per lloguers i rendes d'un any, sobre els béns mobles de l'arrendatari existents a la finca arrendada i sobre els fruits de la mateixa.

Si els béns mobles sobre que recau la preferència haguessin estat sostrets, el creditor pot reclamar-los de qui els tingués, dins el termini de trenta dies a comptar des que va tenir lloc la sostracció.

– Els privilegis immobiliaris atorguen a un creditor el dret a cobrar-se amb preferència a la resta amb el producte obtingut per la venta de determinats béns immobles del deutor. En relació a determinats béns immobles i drets reals del deutor, gaudeixen de preferència (art. 1923 CC):

1) Els crèdits a favor de l'Estat, sobre els béns dels contribuents, per l'import de l'última anualitat, vençuda i no pagada, dels impostos que gravitin sobre ells.

2) Els crèdits dels asseguradors, sobre els béns assegurats, pels premis de l'assegurança de dos anys; i, si és el assegurança mútua, pels dos últims dividends que s'haguessin repartit.

3) Els crèdits hipotecaris i els refaccionaris, anotats i inscrits en el Registre de la Propietat, sobre els béns hipotecats o que hagin estat objecte de la refacció.

4) Els crèdits preventivament anotats en el Registre de la Propietat en virtut de manament judicial, per embargaments, segrestos o execució de sentències, sobre els béns anotats, i només pel que fa a crèdits posteriors.

5) Els refaccionaris no anotats ni inscrits, sobre els immobles als que la refacció es refereixi, i només respecte a altres crèdits diferents dels expressats en els quatre números anteriors.

- I com a privilegis generals, en relació a la resta de béns mobles i immobles del deutor, gaudeixen de preferència (art. 1924 CC):

1) Els crèdits a favor de la província o del municipi, pels impostos de la darrera anualitat vençuda i no pagada, no compresos en l'article 1.923, nombre 1r.

2) Els meritats:
   - Per als funerals del deutor, segons l'ús del lloc, i també els del seu cònjuge i els dels seus fills constituïts sota la seva pàtria potestat, si no tinguessin béns propis.
   - Per despeses de la darrera malaltia de les mateixes persones, causats en l'últim any, comptat fins al dia de la mort.
   - Per els salaris i sous dels treballadors per compte aliè i del servei domèstic corresponents a l'últim any.
   - Per les quotes corresponents als règims obligatoris de subsidis, assegurances socials i mutualisme laboral pel mateix període de temps que assenyala l'apartat anterior, sempre que no tinguin reconeguda major preferència d'acord amb l'article precedent.
   - Per anticipacions fetes al deutor, per a si i la seva família constituïda sota la seva autoritat, en queviures, vestit o calçat, en el mateix període de temps.

3) Els crèdits que sense privilegi especial constin:
   - En escriptura pública.
   - Per sentència ferma, si haguessin estat objecte de litigi.

Aquests crèdits tenen preferència entre si per l'ordre d'antiguitat de les dates de les escriptures i de les sentències.

No gaudiran de preferència els crèdits de qualsevol altra classe, o per qualsevol altre títol, no compresos en els articles anteriors (art. 1925 CC).

10.2. La prelació de crèdits

D'altra banda, el Código Civil disposa també les normes relatives a la prelació de crèdits, que graduen els crèdits dins de cada categoria pel cas que concorrin varis crèdits privilegiats. Així estableix que:

- Els crèdits que gaudeixen de preferència en relació amb determinats béns mobles, exclouen tots els altres fins on arribi el valor del moble a que la preferència es refereix. Si concorren dos o més respecte a determinats mobles, s'han d'observar, quant a la prelació per al seu pagament, les regles següents (art. 1926 CC):

  1) El crèdit pignoratiu exclou els altres fins on arribi el valor de la cosa empenyorada.

  2) En el cas de fiança, si aquesta està legítimament constituïda a favor de més d'un creditor, la prelació entre ells es determinarà per l'ordre de dates de la prestació de la garantia.

  3) Els crèdits per bestreta de llavors, despeses de cultiu i recol·lecció, seran preferits als de lloguers i rendes sobre els fruits de la collita perquè aquells van servir.

  En els altres casos no hi ha prelació i el preu dels mobles es distribuirà a prorrata entre els crèdits que tinguin especial preferència en relació amb els mateixos.

- Els crèdits que gaudeixen de preferència en relació amb determinats béns immobles o drets reals, exclouen tots els altres pel seu import fins on arribi el valor de l'immoble o dret real a què la preferència es refereixi.

  Si concorren dos o més crèdits respecte a determinats immobles o drets reals, s'han d'observar, quant a la seva respectiva prelació, les regles següents (art. 1927 CC):

1) Els crèdits de l'Estat i els crèdits de les asseguradores tenen prelació respecte la resta. No hi a però prelació especial entre l'Estat i les asseguradores.

2) Els hipotecaris i refaccionaris, anotats o inscrits en el Registre de la Propietat i els crèdits amb anotacions preventives d'embargament que consten en el Registre, gaudiran de prelació entre si per l'ordre d'antiguitat de les respectives inscripcions o anotacions al Registre de la Propietat.

3) Els refaccionaris no anotats ni inscrits en el Registre es posposen a la resta de crèdits immobiliaris, i entre si tenen prelació per l'ordre invers de la seva antiguitat.

– El romanent del cabal del deutor, una vegada pagats els crèdits que tinguin preferència en relació a determinats béns, mobles o immobles, s'acumularà als béns lliures que aquell tingui per al pagament dels altres crèdits.

Els que, gaudint de preferència en relació amb determinats béns, mobles o immobles, no haguessin estat totalment satisfets amb l'import d'aquests, ho seran, pel que fa al dèficit, per l'ordre i en el lloc que els correspongui segons la seva respectiva naturalesa (art. 1928 CC).

– Els crèdits que no tinguin preferència en relació a determinats béns, i els que la gaudeixin, per la quantitat no realitzada, o quan hagués prescrit el dret a la preferència, s'han de satisfer d'acord amb les regles següents (art. 1929 CC):

1) Per l'ordre que estableix l'article 1924 CC.

2) Els preferents per dates, per l'ordre d'aquestes, i els que la tinguessin comuna, a prorrata.

3) Els crèdits comuns a què es refereix l'article 1925 CC, sense consideració a les seves dates.

Lliçó 12
Modificació de la relació obligatòria

1. LA MODIFICACIÓ DE LA RELACIÓ OBLIGATÒRIA

La modificació de l'obligació es regula en seu de novació (arts. 1203-1213 CC). La novació d'acord amb la tradició romanista es considera causa d'extinció de l'obligació (arts. 1143, 1156, 1204, 1207 CC): la introducció de novetats en l'obligació existent que desemboca en l'extinció i substitució per la nova (novació extintiva). El silenci legal sobre la modificació no comporta, però, prohibició; les parts poden variar l'obligació mantenint la mateixa relació, a l'empara del principi d'autonomia privada (art. 1255 CC) sense que l'obligació s'extingeixi.

Novació i modificació són conceptes relacionats però que es diferencien. Convé, per això, delimitar-los bé.

En sentit ampli és modificació qualsevol variació que es faci en la relació obligatòria que comporti novetats. En sentit restringit modificació només és la que implica l'alteració dels elements estructurals (els que identifiquen) de la relació obligatòria mentre aquesta encara persisteix. No obstant això, és més que un fet que altera l'estructura de l'obligació doncs designa alhora, l'efecte. De manera que s'han de distingir dos conceptes:

1) Modificar és dur a terme una determinada activitat en la qual s'utilitza un concret mitjà: l'alteració que provoca la nova forma de relació; és a dir, és un mecanisme jurídic que pot emprar-se per a fins jurídics dispars i en el qual no es determina per endavant la conseqüència jurídica (per ex. s'alteren els elements de la relació quan es transigeix (art. 1809 CC), es varia una re-

lació obligatòria anterior per fer una novació (art. 1203, 1204 CC), o pot fer-se per conservar-la amb el canvi introduït) i

2) Modificar suposa provocar una conseqüència jurídica concreta en la relació obligatòria. És el resultat —*efectum iuris*— que se'n deriva. La modificació com a efecte suposa la pervivència de la mateixa relació obligatòria que subsisteix juntament amb la variació introduïda (sobre la qual ha operat, prèviament el mecanisme modificació).

La novació, per contra, se situa, sempre, en el pla dels efectes: la variació, que és imprescindible perquè hi hagi novació (utilització del mecanisme modificatiu) comporta l'extinció de l'obligació anterior i la seva substitució per una nova creada en base a aquella.

1.1. La modificació com a mecanisme

Conseqüentment amb el que s'assenyalat s'ha de començar amb l'estudi del mecanisme modificació que és sempre anterior a l'efecte. Modificar és operar sobre els elements que permeten identificar una relació obligatòria ja existent de manera que es crea una situació diferent de l'anterior però en base a ella. Segons l'element alterat es distingeixen:

a) Modificació subjectiva: es predica en relació amb les diferents posicions jurídiques de la relació jurídica obligatòria (creditor-deutor) (art. 1203, 2° i 3° CC).

b) Modificació objectiva: afecta la prestació, per canvi, augment o reducció de la mateixa (art. 1203,1° CC).

c) Modificació circumstancial: suposa l'alteració de les condicions principals (art. 1203,1° CC). Els elements accidentals de la relació: el temps, el règim de la condició, el *locus solutionis* (...).

d) Modificació funcional: és el canvi de la causa que, comporta de manera necessària una alteració de la prestació (es comprèn a l'art. 1203 1° CC).

e) Modificació del contingut de la relació obligatòria que incideix en el règim jurídic (art. 1203 1° CC).

Jurídicament només repercuteix en la relació obligatòria provocant l'efecte d'extinció o el de simple modificació quan l'alteració comporti la pèrdua d'identitat. Per això, hi ha determinats supòsits que tot i que alteren la relació obligatòria no són modificació:

1) Les variacions que, al llarg de la vida de la relació obligatòria, es refereixin a la forma. El dotar d'una forma escrita —document privat o públic— a la relació que es va contraure verbalment, o elevar el document privat a públic, llevat que així s'hagi previst de manera expressa per les parts a l'hora de documentar la relació, no provoquen la modificació.

2) La conclusió de nous acords per a interpretar la relació obligatòria anterior i el reconeixement contractual de la relació no comporten l'alteració perquè la finalitat perseguida és diferent: mantenir la relació anterior tal com era.

3) En general, els supòsits dels mitjans substitutius (o subrogats) del compliment. En ells s'altera el compliment de l'obligació però no aquesta.

4) No modifica l'obligació el fet que el creditor atorgui al deutor la *facultas solutionis*, és a dir s'estigui en presència de l'anomenada obligació facultativa.

5) L'addició o supressió de garanties, tampoc comporta una modificació de la relació obligatòria ja que el que es fa és reforçar el patrimoni que respondrà en cas d'incompliment del deutor.

1.2. La modificació com a efecte

En els textos legals només es recull la novació com efecte i res semblen dir del efecte modificatiu que doctrina i jurisprudència admeten. No obstant això, la doctrina difereix sobre les normes en què es troba regulada la modificació com a efecte. Per a uns la modificació s'ha de radicar en el principi d'autonomia privada (art. 1255 CC); per altres (i gran part de la jurisprudència) en seu de novació es distingiria la extintiva o pròpia, de la novació modificativa o impròpia (arts. 1203, 1204 i 1207 *a contrari* CC) en la qual es trobaria la simple modificació. Sigui una o altra la ubicació de la modificació perquè l'efecte simplement modificatiu es produeixi és necessari:

1. Que hi hagi una obligació vàlida (art. 1208 CC).

2. Que s'alteri algun dels elements estructurals de l'obligació.

3. La declaració expressa i directa de les parts de voler modificar (voluntat de modificació).

4. Que no hi hagi incompatibilitat entre l'obligació anterior i les alteracions introduïdes en la mateixa, ja que si n'hi ha l'efecte és l'extinció de l'obligació i la creació d'una nova (en base a l'anterior) (art. 1204 CC).

Si concorren aquests requisits l'obligació originària subsistirà amb les variacions introduïdes en ella.

2. LA NOVACIÓ

Estudiada la modificació, ara examinarem la novació extintiva o pròpia de l'obligació (recordant que certa doctrina qualifica, també com a novació la simple modificació).

2.1. Requisits

Perquè una obligació quedi extingida per una altra que la substitueixi cal que així es declari terminantment o que l'antiga i la nova siguin totalment incompatibles (art. 1204 CC). Perquè hi hagi novació cal que:

1º) Hi hagi una obligació vàlida. La novació és nul·la si és nul·la l'obligació primitiva, llevat que la causa de nul·litat només pugui ser invocada pel deutor, o que la ratificació convalidi els actes nuls d'origen (art. 1208 CC). Quan la causa de nul·litat correspongui al deutor (anul·labilitat) l'acord en modificar pot suposar una renúncia a l'exercici de l'acció de nul·litat.

2º) Hi hagi una variació en algun dels elements estructurals de l'obligació (*aliquid novi*); és a dir, que s'hagi utilitzat el mecanisme modificació.

3º) Que, hi hagi: a) O declaració terminant (expressa): és l'anomenat *animus novandi*; o b) Encara que no hi hagi declaració expressa, existeixi incompatibilitat entre les dues obligacions: l'anterior i les modificacions introduïdes en aquella.

No hi ha dubte pel que fa al *animus novandi*, és a dir la declaració expressa de provocar l'efecte de l'extinció de l'obligació anterior.

Sigui quina sigui la significació econòmica —com es diu en alguna de les sentències del TS— de la modificació introduïda, l'efecte extintiu es deriva sempre, en primer lloc, de la voluntat manifestada per les parts. Més discutit és el requisit de la incompatibilitat entre les dues obligacions, del qual ha derivat la distinció entre l'anomenada novació tàcita enfront de l'expressa (aquella en què consta la voluntat de renovar). En ocasions, la incompatibilitat s'ha equiparat a la impossibilitat, a la transgressió que la nova obligació suposa respecte de l'anterior, o a la renovació de la mateixa. En la nostra opinió es refereix al fet que la modificació introduïda provoca una alteració en els elements estructurals de la relació obligatòria originaria que suposa un canvi de tipus de la mateixa, de manera que no és possible, alhora, aplicar dos règims jurídics diferents. Incompatibilitat és sinònim no d'impossibilitat sinó d'incongruència que afecta l'estructura (i no només a la funció) de la relació.

2.2. Efectes

Si concorren els requisits estudiats l'obligació originaria (anterior) s'extingeix i neix una nova (creada sobre la base d'aquella) que la substitueix (art. 1204 CC). Quan l'obligació principal s'extingeix per efecte de la novació, només poden subsistir les obligacions accessòries quant aprofitin a tercers que no han prestat el seu consentiment a ella (art. 1207 CC). Les obligacions accessòries s'extingeixen, però la novació és irrellevant davant de tercers que són titulars de drets accessoris, només en el que els beneficiï.

Si no concorre *animus novandi* o incompatibilitat, l'efecte no necessàriament és la modificació de l'obligació sinó que es crea una nova obligació que coexisteix juntament a l'anterior, llevat que existeixi voluntat expressa i directa de voler només l'efecte modificatiu. És l'efecte acumulati; acumular suposa que la variació operada en la relació obligatòria anterior dóna lloc al naixement d'una nova obligació que ni és l'anterior modificada, perquè no existeix aquesta voluntat, ni és l'anterior renovada (no la substitueix). En aquest cas l'efecte és crear una nova obligació que s'uneix a l'anterior, en el mateix pla d'igualtat que aquella.

3. EL CANVI DE CREDITOR

El canvi del titular del dret subjectiu (crèdit) és una modificació subjectiva que manté la mateixa relació obligatòria però amb un nou creditor. Com es va estudiar, el dret de crèdit és essencialment disponible (art. 1112 CC); el que pot tenir lloc mitjançant la transmissió entre vius (la *mortis causa* s'estudia en el Dret de Successions) a través de: a) El negoci de cessió de crèdits (arts. 1526 a 1530, 1535 i 1536 CC, 569-28.2 CCCat) i b) La subrogació per pagament (arts. 1209 i 1210 CC).

El canvi de creditor, sigui quina sigui la manera, comporta:

1) La subsistència íntegra de l'obligació (no s'extingeix).

2) La permanència dels drets accessoris que l'acompanyen (fiança, penyora, hipoteca) i de les qualitats i caràcters (arts 1212 i 1528 CC).

3.1. La cessió de crèdits

És el negoci de transmissió mitjançant el qual el creditor i un tercer aliè a la relació obligatòria convenen que l'adquirent passi a ocupar la posició jurídica creditora. S'anomena cedent al creditor originari; cessionari al tercer que adquireix el dret i cedit al deutor.

La cessió de crèdits es regula en seu de compravenda (arts. 1526-1536 CC; 621-1 CCCat) però malgrat que sigui el negoci més habitual la cessió del crèdit es por fer en general a través de qualsevol acte jurídic de transmissió ja onerós, que és lo més habitual, ja gratuït (permuta, donació...). Tot negoci de cessió requereix:

1. Acord entre cedent i cessionari. Ambdós han de tenir capacitat d'obrar (la que requereixi l'acte jurídic utilitzat) i poder de disposició. El deutor no té per què intervenir en el negoci de cessió, i fins i tot pot desconèixer i negar-se a la cessió; el coneixement i consentiment del deutor només es rellevant per a determinar certs efectes de la cessió.

2. Que el crèdit sigui existent i vàlid (art. 1529 CC). Únicament s'exceptua aquest requisit:

   a) Quan s'hagi cedit el crèdit com dubtós (art. 1529.1 CC); és a dir com a crèdit l'existència i validesa del qual no és certa i el cessionari ha assumit aquest risc. En aquest cas el cedent no respon de l'existència i legitimitat del crèdit (art. 1529 CC).

b) Quan s'hagi transmès un crèdit litigiós que és aquell respecte del que s'ha iniciat un procés (demanda contestada, art. 1535.2 CC).

3. El crèdit ha de ser transmissible. En general, tots els crèdits són transmissibles llevat que per llei o per pacte s'hagués disposat el contrari (art. 1112 CC) (la condició de intransmissibles). La cessió d'un crèdit intransmissible legalment no és vàlida; però la d'un crèdit que no es pot transmetre per pacte és vàlida si el tercer que adquireix (cessionari) desconeix la qualitat de intransmissible del mateix (només existirà incompliment del pacte).

4. Com a regla la cessió no requereix una altra forma que la que necessiti el negoci que s'utilitzi (compravenda, donació, permuta...). Es disposa que "la cessió no té efecte contra tercers sinó des que la data s'hagi de tenir per certa en conformitat als articles 1218 i 1227" (art. 1526.1 CC). No és un requisit de forma; vol dir que tots aquells que siguin aliens al negoci de cessió poden desconèixer-la mentre no tingui data fefaent. Quan és un document públic aquest fa prova fefaent de l'atorgament i de la data (art. 1218 CC). I els documents privats tenen data fefaent des del moment en que s'incorporin o incriguin en un registre públic, des de la mort de qualsevol dels que el van signar, o des del dia en que es lliuren a un funcionari públic per raó del seu càrrec (art. 1227 CC). Si el crèdit cedit es refereix a un immoble la cessió només té efectes des de la data de en que s'incrigui al Registre de la Propietat.

A més dels generals de tot canvi de creditor, la cessió té uns efectes particulars. Convé distingir atenent les diferents relacions:

A) Relació entre cedent i cessionari: és la que prové del negoci de cessió. El cedent respon, davant del cessionari, de l'existència i legitimat del crèdit (art. 1529 CC) i pot ser que, també, de la solvència del deutor cedit (art. 1530 CC). Aquest règim pot modificar-se per les parts però actua si res s'ha acordat.

a) Existència i legitimitat del crèdit o *veritas nominis*. La responsabilitat no és la mateixa si la transmissió ha estat onerosa (per preu) o gratuïta.

Quan és onerosa (art. 1529 CC) el cedent, llevat que hagi transmès el crèdit com a dubtós, respon de que el crèdit li pertanyi i és jurídicament exigible. Si ha actuat de bona fe i no li pertany o no és exigible ha de pagar a l'adquirent, el preu rebut, les despeses de la cessió i qualsevol altre pagament legítim que hagués hagut de fer el cessionari (art. 1529.2 CC). El cedent de mala fe respon, sempre, del pagament de totes les despeses i dels danys i perjudicis (art. 1529.3 CC).Quan la cessió és gratuïta el cedent no respon de res i el cessionari, ja que no va pagar res, tampoc pot exigir (art. 531-13 CCCat), però si va patir danys i perjudicis podrà reclamar-los.

b) La solvència del deutor o *bonitas nominis*. Inicialment el cedent no respon de la solvència del deutor, llevat que s'hagi estipulat expressament o que la insolvència fos anterior i pública (art. 1529.1 CC). El contingut de la responsabilitat del cedent, en aquest cas, és el mateix que en el supòsit anterior tenint en compte si ha existit bona o mala fe per part del cedent.

En el pacte de respondre de la solvència del deutor pot haver-se establert un termini. Quan no hagi estat així el cedent de bona fe només respon durant l'any següent comptat des de la cessió del crèdit, si ja estava vençut (era exigible al moment de la cessió). Però si el crèdit ha de pagar-se en un termini encara no vençut, la responsabilitat només s'estén un any després del venciment. Si el crèdit és d'una renda perpètua la responsabilitat s'extingeix al cap de deu anys, comptats des de la data de la cessió (art. 1530 CC).

També respon quan la insolvència fos anterior i pública. És un supòsit de responsabilitat objectiva; la raó per la qual el cedent respon és la pròpia conducta doncs si coneixia la insolvència del deutor va haver d'informar el cessionari per, si escau, cedir el crèdit com dubtós, si aquella era anterior i pública es presumeix que el cedent devia conèixer-la i havia de posar en pràctica el deure d'informació.

B) Relació entre el cedent i el deutor cedit: és la relació obligatòria que es transmet. Com a conseqüència de la cessió el deutor té un nou creditor en haver desaparegut l'anterior (cedent), deixa d'estar vinculat a aquest i res li deu doncs ha de pagar (complir) al nou creditor.

Tot i que el deutor no intervé en el negoci de cessió, si abans de tenir coneixement de la cessió satisfà al creditor queda alliberat de l'obligació (art. 1527 CC).

C) Relació entre el cessionari i el deutor cedit: és la mateixa relació obligatòria que existia en la qual apareix com a titular un nou creditor (el cessionari). És aquí on es pot entrar a considerar l'actitud del deutor enfront de la cessió. En general el deutor, davant la reclamació del cessionari pot oposar al nou creditor (cessionari) totes les excepcions objectives relatives a la relació obligatòria que podria haver al·legat al creditor originari (prescripció, pagament...).Pel que fa a les personals només hi ha regles per a l'excepció de compensació (art. 1198 CC) però, la doctrina entén que cal aplicar els criteris establerts per aquella a les altres excepcions. D'acord amb això es distingeix:

– El deutor coneix i consenteix la cessió: no pot oposar al cessionari les excepcions personals. S'entén que ha existit renúncia a fer-ho.

– El deutor no consenteix la cessió: només pot oposar les excepcions anteriors a la cessió però no les posteriors a aquesta.

– El deutor no coneix la cessió: pot oposar totes les excepcions tant les posteriors com les anteriors a la cessió, si bé en aquest últim cas només les anteriors a la data en què tingui coneixement de la cessió.

En determinades cessions de crèdit el règim general estudiat es trenca. Són les cessions especials de:

A) Crèdits hipotecaris: En aquesta cessió és necessari (art. 149 LH i 242 RH, 569-28 CCCat):

1. Que es faci mitjançant escriptura pública.

2. Es notifiqui al deutor judicial o notarialment, o en cas que no es coneixi el seu domicili a l'administrador, el porter de la finca hipotecada o algun dels inquilins, llevat que el deutor hagi renunciat a la notificació en escriptura pública o es tracti d'obligacions transferibles per endós o títols al portador, i al titular registral del bé hipotecat (arts. 222, 242 RH i 150 LH, art. 569-28. 2 CCCat). En la notificació ha de constar el preu convingut o el valor que es dona al dret i les condicions essen-

cials de la cessió. La renúncia a la notificació és nul·la (art. 569-28.2 CCCat). I,

3. Que s'inscrigui en el Registre de la Propietat.

L'escriptura i la inscripció en el Registre són necessàries perquè la cessió del crèdit afecti la hipoteca doncs sense ells la cessió no podrà oposar-se al deutor cedit. Si s'omet la notificació al deutor la cessió és vàlida però el cedent és responsable dels perjudicis que pugui patir el cessionari com a conseqüència de la seva falta (art. 151 LH).

B) De crèdits litigiosos: Es cedeix un crèdit la existència, legitimitat o efectivitat del qual ha donat lloc a un procediment judicial (art. 1535.2 CC). Normalment això comporta que el preu de la cessió, quan va ser onerosa, sigui inferior al valor nominal del crèdit que es cedeix; per evitar l'especulació es faculta el deutor per extingir-lo reemborsant al cessionari no el seu valor nominal sinó el preu que va pagar, més les costes ocasionades i els interessos del preu des del dia en què va ser satisfet (art. 1535.1 CC). Aquesta facultat (denominada de vegades, de manera impròpia, retracte de crèdits litigiosos) pot utilitzar-la el deutor en els nou dies següents a aquell en què el cessionari li reclami el pagament (art. 1535.3 CC). No gaudeixen d'aquesta facultat les cessions fetes a un cohereu o copropietari del dret cedit; al creditor en pagament del seu crèdit i al posseïdor de la finca subjecta al dret litigiós que se cedeixi (art. 1536 CC).

C) Amb finalitat *solutoria*: la particularitat d'aquesta cessió resideix en la finalitat que es busca en la transmissió. El cedent, que és deutor del cessionari, lliura el crèdit com a pagament de l'obligació. Aquesta cessió pot revestir dues formes:

1. Cessió *pro soluto* en la qual el cessionari es dóna per pagat amb la cessió. És una dació en pagament del crèdit.

2. Cessió *pro solvendo*: l'extinció de l'obligació que existia entre el cedent i cessionari només té lloc quan, efectivament, el cessionari ha cobrat el crèdit cedit.

3.2. La subrogació en el crèdit

En la subrogació també hi ha un canvi en la titularitat del dret de crèdit, es diferencia de la cessió de crèdits per la funció i manera d'operar. Mentre la cessió suposa la posada en circulació, introducció en el mercat, del crèdit i té en compte el seu valor econòmic (com a bé jurídic avaluable en diners), la subrogació s'efectua sempre per pagament d'una relació obligatòria, en el moment final de la seva existència, i tendeix a facilitar que qui va pagar recuperi el desemborsat mantenint la relació obligatòria complida en vida encara que amb una nova titularitat: el que va pagar se subroga (ocupa el lloc) de l'anterior creditor. Es distingeix entre la subrogació legal i la subrogació convencional.

En la subrogació legal és la norma jurídica la que determina i imposa l'efecte. La subrogació convencional es genera de l'acord entre el creditor primitiu i el creditor nou; ha d'establir-se amb claredat (art. 1209 CC), no requereix, però, que es comuniqui al deutor encara que s'entén que perquè tingui efectes davant d'ell s'ha de posar en el seu coneixement (bé per l'anterior bé pel nou creditor). En tot cas cal que l'acord sigui anterior o simultani al pagament ja que si és posterior no opera la subrogació en haver-se extingit l'obligació per pagament.

La norma (art. 1210 CC) enumera un seguit de supòsits en els es presumeix l'efecte subrogació: Quan el creditor pagui a un altre creditor preferent; quan un tercer no interessat en l'obligació, paga amb l'aprovació expressa o tàcita del deutor i quan pagui el que tingui interès en el compliment de l'obligació, excepte els efectes de la confusió pel que fa a la porció que li correspongui. En aquests casos opera la subrogació llevat que es provi que no es va voler que actuï (es tracta de presumpcions *iuris tantum*).

La subrogació, com a regla general, obeeix a la voluntat del creditor però en un supòsit específic pot actuar per voluntat del deutor, que la imposa al creditor. En aquest cas cal que concorrin els següents requisits (art. 1211 CC): 1) Que el deutor prengui prestat diners per pagar i tal préstec es contingui en escriptura pública, 2) Que s'hagi fet constar, en l'escriptura del contracte de préstec, expressament que la seva finalitat era la de pagar un deute concret i 3) Que la carta de pagament del deute expressi que la procedència de la quantitat pagada és del préstec.

La Llei 2/1994, de 30 de març sobre subrogació i modificació de préstecs hipotecaris estableix requisits addicionals (a més dels de l'art. 1211 CC) per a la subrogació, per voluntat de deutor, en els crèdits hipotecaris. Es disposen en els articles 2 i 5 i es cenyeixen al supòsit en què l'anterior creditor i el nou són entitats financeres.

S'exigeix que:

1) L'entitat financera disposada a subrogar presenti al deutor una oferta vinculant en què consten les condicions financeres del nou préstec. L'acceptació pel deutor suposa que l'entitat pot requerir al creditor del deutor (una altra entitat creditícia) perquè aquest, en el termini màxim de 7 dies, li certifiqui l'import del dèbit.

2) Lliurada la certificació, el creditor pot enervar la subrogació si en el termini de 15 dies des d'aquesta entrega formalitza amb el deutor una modificació del préstec hipotecari. Quan no sigui així, perquè la subrogació sigui eficaç n'hi ha prou que l'entitat subrogada declari en la mateixa escriptura haver pagat al creditor la quantitat acreditada pel capital pendent i interessos meritats i no satisfets i comissions.

3) A l'escriptura s'incorpora un resguard de l'operació bancària realitzada amb aquesta finalitat solutoria.

4) La subrogació no fa efecte enfront de tercer si no es fa constar en el Registre de la Propietat, per mitjà d'una nota marginal en què han de constar les circumstàncies que assenyala l'article 5 de la Llei. L'article 2 de l'esmentada llei regula, a continuació el procediment a seguir en el supòsit en què l'entitat creditora no hagi lliurat el certificat acreditatiu de l'import del deute, o s'hagi negat, de manera injustificada, a l'admissió del pagament.

En virtut del pagament se substitueix l'anterior creditor pel nou (subrogat), de manera que es manté l'obligació sense que el deutor s'alliberi. Es transfereix al subrogat el crèdit amb tots els drets annexos, ja siguin contra el deutor (obligacions i deures accessoris), ja contra els qui van prestar garanties personals, ja contra els que siguin posseïdors de béns donats en garantia (art. 1212 CC).

Quan el pagament fet al creditor originari sigui parcial, la subrogació només opera per la part pagada, el deutor continua obligat per la resta; a la part pendent, el creditor originari pot exercir el seu dret amb preferència al que s'hagués subrogat en el seu lloc pel pagament parcial del mateix crèdit (art. 1213 CC)

4. CANVI DE DEUTOR

4.1. Concepte

El canvi del deutor en els textos legals està en seu de novació (extintiva) (art. 1203. 3°CC), el que en inici es va entendre en el sentit que tot canvi de deutor havia de portar sempre a l'extinció (seguint el criteri del Dret Romà en el qual no s'admetia); no obstant això, l'evolució jurídica posterior ha acceptat àmpliament que és possible també l'efecte de modificació de l'obligació quan es canvia el deutor. De manera que l'alteració de la part passiva pot tenir eficàcia bé purament modificativa de l'anterior relació, bé extintiva.

S'acostuma a denominar transmissió del deute al canvi de deutor però, en propietat, no hi ha autèntica transmissió, com succeeix en la posició creditora, ja que la posició deutora té contingut negatiu i no comporta un actiu patrimonial (és un passiu); per això és més encertat parlar de que un nou deutor substitueix l'anterior. En tot cas, al creditor no li és indiferent qui sigui el seu deutor, de manera que ha de tenir coneixement del canvi. D'aquí que una de les regles comunes a les diferents formes a través de les quals es pot realitzar aquest canvi és que la substitució del deutor primitiu per un de nou pot fer-se sense el consentiment del deutor que es canvia, però no sense el consentiment o acceptació del creditor (arts. 1205 i 1206 CC).

4.2. Modalitats de canvi de deutor

D'acord amb la tradició romanista els textos legals vigents només recullen dues modalitats: la delegació (art. 1206 CC) i la expromissió (art. 1205 CC). Posteriorment, per influència de la doctrina alemanya, s'ha configurat una tercera forma: el contracte d'assumpció de deute que s'admet a l'empara del principi d'autonomia contractual (art. 1255 CC).

a) La expromissió és l'acord entre el creditor i el nou deutor mitjançant el qual aquest assumeix l'obligació convertint-se en deutor de la mateixa (art. 1205 CC). Segons el contingut del pacte pot ser:

   – Simple: el deutor primitiu s'allibera completament de l'obligació.

- Cumulativa: té lloc quan al deutor originari s'addiciona un de nou. En aquest cas hi haurà una pluralitat de subjectes obligats al compliment de la mateixa obligació.

Les relacions entre el deutor primitiu i el nou poden ser de diversa índole i són les que regeixen en el que afecta els reemborsaments i reintegraments que el nou deutor pugui exigir a aquell. Però si la intervenció del nou deutor és espontània s'han d'aplicar, analògicament, les regles del pagament de tercer (art. 1158 CC).

b) La delegació (esmentada a l'article 1206 *in fine* CC). En aquest supòsit la iniciativa del canvi del deutor part de l'obligat designant a un tercer perquè ocupi la seva posició. En general la delegació és el mecanisme jurídic de modificació mitjançant el qual una persona (delegant) dóna una ordre o autoritza a una altra (delegat) bé perquè constitueixi una obligació (delegació promissòria) bé perquè dugui a terme una prestació (delegació solutoria o de pagament) en favor d'una altra (el deutor: delegatari), de manera que l'obligació o la prestació s'entenguin realitzades per compte del delegant.

La delegació és un fenomen ampli que abasta no només al canvi de deutor sinó també al de creditor. A la delegació activa el creditor delegant convida o ordena al delegat a convertir-se en creditor del delegatari; a la delegació passiva es persegueix que el delegat es converteixi en deutor del delegatari. Aquesta última és la que ara interessa.

La delegació, segons el contingut de l'acord pot ser:

a) Una *delegatio promitendi* o delegació promissòria: el delegat s'obliga, constitueix l'obligació al seu càrrec, de manera que a partir d'aquest moment, el que fa la delegació deixa de formar part d'aquesta relació. El creditor primitiu desapareix, o el deutor primitiu s'allibera. Un supòsit de delegació promissòria té lloc en el contracte de targeta de crèdit entre l'entitat emissora i / o gestora de targetes mitjançant el qual aquesta entitat s'obliga amb el titular de la targeta a pagar, en el seu lloc, els deutes que contregui en els establiments adherits en què la utilitzi com a mitjà de pagament.

b) Una *delegatio solvendi* o de pagament: el delegat ha de realitzar la prestació que el delegant li ha encarregat però no assumeix una obligació enfront del delegatari, ni el delegant queda fora de la mateixa. Aquest tipus de delegació, que es predica respecte de la delegació passiva, es coneix amb el nom d'indicació de pagament i és la que té lloc quan s'emet un xec que es lliura per pagar.

En els supòsits de delegació s'ha de fer referència a les relacions que puguin originar-se:

- Entre delegant i delegat hi ha la denominada relació de cobertura que és la que permet justificar, jurídicament, perquè actua el delegat.

- Entre el delegant i el delegatari existeix l'anomenada relació de valor o de valuta que és la prèvia relació obligatòria que hi ha entre tots dos.

c) El contracte d'assumpció de deute: és l'acord entre el deutor originari i el nou, amb l'acceptació i consentiment del creditor, mitjançant el qual assumeix la posició jurídica que aquell ocupava en la relació obligatòria. En el nostre ordenament és un contracte atípic que es regeix per l'acordat entre les parts i consentit pel creditor, i per les regles generals de les obligacions i contractes. Segons el que s'hagi pactat pot ser:

- Assumpció alliberadora: si el deutor originari es deslliga de la relació obligatòria.

- Assumpció cumulativa: té lloc quan a l'antic deutor s'addiciona un de nou, originant una pluralitat de deutors.

4.3. Efectes comuns del canvi de deutor

Sigui quina sigui la modalitat utilitzada, l'ingrés d'un nou deutor en la relació obligatòria que substitueix a l'originari planteja una sèrie de qüestions que, excepte les especialitats pròpies de cadascuna d'elles, són comuns. Aquests afecten:

a) L'alliberament del deutor primitiu. El canvi de deutor requereix sempre del consentiment del creditor que pot ser exprés o tàcit. Així mateix s'admet que pugui existir en el moment en què s'acordi el canvi de deutor o amb posterioritat. Sempre, el consentiment determina si el deutor primitiu queda o no alliberat. Què succeeix en el cas que el creditor no presti el seu consentiment? En inici sembla que el canvi de deutor ha de ser ineficaç perquè no es compleix el requisit. Amb tot, la doctrina entén que cal indagar la voluntat del nou deutor. Si l'acord de canvi estava condicionat al fet que el creditor assentís en el canvi, la manca de consentiment determina la ineficàcia. Per contra, quan el nou deutor vol obligar-se, qualsevol sigui la voluntat del creditor, haurà de considerar-se que queda vinculat. En aquest últim cas el que passa és que té lloc l'efecte d'acumulació: a l'anterior obligació se li uneix una nova; la pluralitat de deutors es regeix per les regles de la solidaritat (cf. art. 1141 CC).

b) La insolvència del nou deutor. Quan el deutor primitiu s'hagi alliberat la insolvència del nou deutor no té cap repercussió per a ell que ja s'ha deslligat de la relació obligatòria, l'acció del creditor contra el deutor primitiu no reviurà (art. 1206 CC). Aquesta regla té una excepció: en el cas que la insolvència del nou deutor sigui anterior i pública en el moment en què es va efectuar el canvi de deutor o coneguda del deutor, el creditor pot dirigir-se contra el deutor primitiu (art. 1206 CC). La raó per la qual el deutor primitiu respon de la solvència del deutor nou es deu al fet que ha de carregar amb les conseqüències de la seva conducta ja que, si la coneixia va haver d'informar el creditor per quedar alliberat per complet, i si era anterior i pública es presumeix que va haver de conèixer-la.

c) La pervivència de les obligacions accessòries. Només subsisteixen les obligacions accessòries quant aprofitin a tercers que no han prestat el seu consentiment al canvi de deutor (art. 1207 CC). Es tracta de tercers aliens a la relació obligatòria que ostenten drets enfront de la mateixa; en aquest cas l'eficàcia del canvi no és total si això fos així hauria de constar el seu consentiment.

Diferent és el problema del manteniment de les garanties atorgades. Tot i que la redacció del precepte no és clara, de les regles generals s'extreu que:

– Si les garanties les va atorgar un tercer aliè a la relació obligatòria només subsisteixen si va prestar el seu consentiment al canvi de deutor. Al tercer garant no li és indiferent qui sigui el deutor.

- Si les garanties les ha prestat el deutor primitiu la subsistència depèn de si les assumeix, també, o no el nou deutor.

- Si les atorga el nou deutor abans d'assumir el deute s'ha d'entendre que si són garanties reals (penyora, hipoteca) subsisteixen, pel que fa a les personals s'extingeixen.

d) Les excepcions oposables pel nou deutor. De les regles comunes del Dret d'obligacions es segueixen els següents criteris:

- El nou deutor pot oposar al creditor les excepcions de caràcter objectiu o reals de la mateixa relació obligatòria (nul·litat, prescripció...).

- També pot oposar les que afectin el mitjà a través del qual es va dur a terme el canvi de deutor (manca de causa, objecte il·lícit...).

- Així mateix pot al·legar les excepcions que s'originin en la seva relació amb el creditor amb posterioritat al canvi efectuat.

- No poden oposar-se les excepcions purament personals de l'anterior deutor.

Lliçó 13
Extinció de la relació obligatòria

1. CAUSES D'EXTINCIÓ DE LA RELACIÓ OBLIGATÒRIA

Les obligacions s'extingeixen (art. 1056 CC):

– Pel pagament o compliment
– Per la pèrdua de la cosa deguda.
– Per la condonació del deute.
– Per la confusió dels drets de creditor i deutor.
– Per la compensació.
– Per la novació.

L'enumeració legal de les causes d'extinció de la relació obligatòria no exhaureix tots els fets que poden originar-la. A més dels enunciats s'han de tenir en compte altres que encara que estan disposats en concret per a determinades relacions, en veritat tenen més abast ja que poden entrar en joc per a supòsits diferents dels previstos; així succeeix amb el mutu dissens, la denúncia unilateral i el desistiment, raó per la qual s'han de considerar entre les causes d'extinció.

Diverses de les causes esmentades s'han estudiat en les lliçons anteriors (en el pagament o compliment, en els subrogats del compliment i amb ocasió de la modificació de l'obligació) a les què ens remetem, en aquesta lliçó s'exposen aquells fets que no han estat tractats, i les altres formes d'extinció que tenen caràcter ampli. En tots ells la nota en comú que, en certa mesura, els unifica es troba en que l'efecte d'extinció no suposa execució de la prestació deguda.

2. LA IMPOSSIBILITAT SOBREVINGUDA

La pèrdua de la cosa com a causa extintiva de la relació obligatò-ria, denominació que empra el text legal (arts. 1182, 1186 CC) és el que la doctrina qualifica en general com la impossibilitat sobrevin-guda de la prestació que provoca la conseqüència de deixar-la sense efecte. És causa que opera en tot tipus de prestació (donar, fer o no fer) i impedeix que pugui complir-se regularment (*ad impossibilia ne-mo tenetur*).

En concret, la impossibilitat que afecta l'obligació de donar és la pèrdua o la destrucció de la cosa (física) o el que deixi de ser apta per al tràfic jurídic (queda fora del comerç), o desapareix de manera que s'ignora la seva existència o no es pot recobrar (art. 1122 2ª 2 CC). En l'obligació de fer la impossibilitat es manifesta en el fet de no poder desplegar (o deixar de fer) l'activitat compromesa, ja física, per causa o raó material, ja legalment (per contrarietat a la llei o il·licitud) (art. 1184 CC).

La impossibilitat ha de ser aliena al deutor (art. 1105 CC) per-manent, definitiva i ha de ser sobrevinguda, és a dir ha de produir-se després que la relació obligatòria hagi sorgit. Si la impossibilitat és originària el que passa és, com es va estudiar, que l'obligació no arriba a existir.

La impossibilitat ha de ser permanent i definitiva, la temporal (o transitòria) en inici no comporta l'extinció de l'obligació si no és im-putable al deutor; amb tot sí la provoca si es frustra la finalitat que es pretén en la relació o si les parts no tenen interès en mantenir-la.

Quant a la impossibilitat parcial no hi ha una regla general apli-cable a tots els casos, el que condueix a la voluntat del creditor i el deutor per esbrinar si van voler mantenir-la en la part que sigui en-cara possible o no. Quan no hi hagi ni previsió legal ni voluntària la tesi majoritària admet que quan persisteix l'interès s'ha de mantenir l'obligació amb la reducció corresponent de la prestació.

Perquè l'obligació s'extingeixi cal que no hi hagi culpa del deutor i que tingui lloc abans que estigui en situació de mora (art. 1184 CC). Si la impossibilitat s'ha produït per dol o culpa del deutor no s'allibe-ra i té lloc la *perpetuatio obligationis* que suposa l'extinció de l'obligació i el naixement de l'obligació d'indemnitzar l'interès contractual positiu (*id quod interest*).

Quan la prestació és la de lliurar una cosa determinada si aquesta esdevé impossible en poder del deutor la norma presumeix que ha estat per culpa seva i no per cas fortuït, excepte prova en contra. En el supòsit en què el deutor estigui en situació de mora o s'hagi compromès a lliurar la cosa a dues o més persones diverses és ell qui respon dels casos fortuïts fins al moment en què té lloc el lliurament (art. 1083 CC). Aquesta regla es pot aplicar, també, a les obligacions de fer, encara que no es digui res.

Si l'obligació de lliurar una cosa certa i determinada ha nascut d'un delicte, sigui quina sigui la causa que ha originat la impossibilitat el deutor continua obligat a pagar el seu preu, llevat que el creditor s'hagi negat sense raó a acceptar el lliurament de la cosa que li ha ofert (art. 1185 CC).

Extingida l'obligació corresponen al creditor, quan el causant de la impossibilitat és un tercer aliè a la relació obligatòria, totes les accions que el deutor tingui enfront d'ells per aquesta causa (és l'anomenat *commodum representationis*) (art. 1186 CC, així, la acció per reclamar la indemnització dels danys). Aquest criteri és aplicable a l'obligació de fer.

La impossibilitat no s'ha de confondre amb la dificultat que pugui existir per complir l'obligació. En general, del concepte de deute, com es va estudiar, se segueix que la necessitat jurídica que és la prestació ja per si mateixa comporta una dificultat, la que correspongui en cada cas; d'on es deriva que la dificultat no és causa d'extinció.

Qüestió diferent d'aquesta és la dificultat extraordinària i l'excessiva onerositat. La dificultat extraordinària, entesa com aquella que sobrepassa el que és normal en el tipus de relació obligatòria, i l'excessiva onerositat considerada com sacrifici econòmic desproporcionat sobrevingut per canvi de les circumstàncies, només de manera excepcional i si no és factible que es modifiqui la relació obligatòria (a l'alça o a la baixa) per acomodar-la a la nova situació, poden donar lloc a l'extinció de l'obligació. En previsió d'això les parts poden introduir regles correctores en la relació obligatòria (com ara les clàusules d'estabilització en les obligacions de diners).

Es planteja, en aquesta situació si l'alteració general sobrevinguda de les circumstàncies és o pot ser causa de modificació o extinció de la relació obligatòria en base a l'anomenada clàusula implícita *rebus sic stantibus*. Comforme a aquesta s'enten que les parts están disposades a mantenir la relació obligatòria mentre es mantinguin les circumstàncies econòmiques que concorrien al moment de constitució de l'obligació o les que van preveure de manera que l'alteració justificaria bé la modificació, bé l'extinció, sense necessitat que la pactin expressament.

En general, la jurisprudència del Tribunal Suprem es molt restrictiva a l'aplicació d'aquesta clàusula perquè entén que són les parts les que han de preveure i pactar-la. Amb tot, per admetre-la requereix que es compleixin els següents requisits:

a) Alteració extraordinaria de les circumstàncies en el moment de compliment en relació amb les que existían al moment del naixement.

b) Desproporció exhorbitant i fora de tot càlcul que provoca desequilibri en la relació obligatòria.

c) Sobrevinguda aparició de circumstancies absolutament imprevisibles.

d) Que no hi hagi un altre medi per resoldre la situació (és a dir, té caràcter subsidiari), i

e) Que la part que l'alegui sigui de bona fe i no actui culposament.

3. LA CONFUSIÓ

L'obligació s'extingeix quan es reuneixen la titularitat de la posició jurídica activa i la posició jurídica passiva i els patrimonis de responsabilitat de cada part en una d'elles (arts. 1192-1194 CC). El creditor adquireix la posició passiva i o al revés el deutor adquireix la posició activa i en tots dos casos es reuneix el concepte i patrimoni en un de sol.

La causa que provoca aquest efecte és variada i pot tenir lloc per negoci entre vius (la cessió de crèdit al deutor, per exemple, la fusió de dues empreses que mantenen relacions entre si) o per via de successió *mortis causa*: s'adquireix l'altra posició a títol d'hereu o de legatari.

Exigeix, sempre, els dos requisits: la concurrència de la titularitat (el que la norma denomina concepte) en una de les posicions subjectives de la relació obligatòria i la conjunció del patrimoni de responsabilitat (art. 1192.1 CC). Perquè es manté la separació de patrimonis no es produeix l'efecte de la confusió que pogués tenir lloc per herència quan s'hagi acceptat a benefici d'inventari (art. 461-20 CCCat) o s'hagi sol·licitat el benefici de separació de patrimonis (art. 461-23 CCCat).

La confusió que recau en la persona del deutor o del creditor principal beneficia els fiadors. La que recau en els fiadors no extingeix l'obligació (art. 1193 CC). La confusió que es fa en la persona del deutor i del fiador quan un d'ells hereta l'altre no extingeix l'obligació del subfiador (art. 1848 CC).

La confusió extingeix el deute mancomunat en la part corresponent al creditor o deutor en què concorrin els dos conceptes (art. 1194 CC). La confusió que es produeixi en qualsevol dels deutors solidaris o per qualsevol dels creditors solidaris extingeix l'obligació sense perjudici del dret de retorn en la relació interna (arts. 1143 i 1146 CC).

4. ALTRES FORMES D'EXTINCIÓ

Com es va comentar s'inclouen aquí determinats supòsits que no apareixen en l'elenc general de causes d'extinció de la relació obligatòria però que, previstos per a determinades relacions, tenen abast més enllà de les mateixes. La doctrina entén que són causes d'extinció generals.

Els supòsits són el mutu dissens, la denúncia unilateral i el desistiment unilateral que és una causa particular d'extinció de les relacions obligatòries de consum.

4.1. Mutu dissens

El mutu dissens (discordança pactada) és l'acord de voluntats mitjançant el qual els que estan vinculats en una relació obligatòria, convenen a extingir-la. És, en veritat, un contracte el contingut del qual és que les parts s'obliguen a deixar sense efecte la relació que les unia.

No hi ha cap regulació d'aquesta forma d'extinció, però atès l'ampli concepte de contracte i el principi de llibertat (autonomia contractual) (arts. 1254, 1255 CC i 111-6 CCCat) s'admet sense discussió.

En aquest cas, per dur a terme el contracte es requereix comptar amb la capacitat, poder de disposició i forma que s'exigeixi per a la relació obligatòria que es pretén extingir. L'abast de l'efecte extintiu depèn del que s'hagi acordat entre les parts, el que ha d'interpretar-se en cada cas. Si no s'ha previst s'entén que en les obligacions de tracte únic l'extinció comporta la restitució del que s'hagi lliurat o la reposició al moment inicial, si s'ha complert, i en les obligacions periòdiques o duradores l'efecte opera des del contracte extintiu en endavant (els efectes anteriors ja produïts es mantenen, no retroactivitat).

4.2. Denúncia per voluntat unilateral

Aquesta manera d'extinció de la relació obligatòria no està prevista legalment amb caràcter general, però si es recull de manera particular per a determinats tipus contractuals la dada comú de les quals és que es tracten de relacions basades en la confiança mútua entre les parts (*intuitu personae*). És aquesta la que justifica que, en el supòsit de frustració, es permeti que unilateralment una de les parts pugui provocar l'efecte extintiu.

La denúncia és una declaració unilateral dirigida a l'altra part de la relació mitjançant la qual es comunica la voluntat d'extingir la relació obligatòria. Quan aquesta sigui plurilateral (supòsit per exemple del contracte de societat) pot extingir bé només el vincle que uneix a qui emet la declaració o originar l'extinció de tota la relació.

Els supòsits previstos, sempre legals, entre d'altres, són el del contracte d'obra (arts. 1584 i 1594 CC: el empleat pot acomiadar-se, el propietari pot desistir de l'obra), el contracte de societat (arts. 1700 4º i 1705 CC: la societat s'extingeix per voluntat de qualsevol dels socis), el contracte de dipòsit (art. 1766 CC: el dipositari ha de restituir la cosa quan li sigui demanada) i el de mandat (arts. 622-33 i 622-37 CCCat: per revocació del mandant i per desistiment del mandatari). Tots s'estudien en les lliçons de les relacions contractuals.

La denúncia, malgrat que no s'exigeixi una raó particular, segons el cas, pot ser lliure o estar sotmesa al compliment d'alguns requisits.

En tot cas, la declaració s'ha de comunicar a l'altra part, ha de ser expressa i s'ha de fer de bona fe i en temps oportú. La forma depèn de la que es requereixi en cada supòsit. Si no es compleixen aquests requisits pot donar lloc, si hi ha danys, al naixement de l'obligació de indemnitzar-los.

4.3. El desistiment en les relacions obligatòries de consum

El dret de desistiment es configura com la facultat del consumidor de deixar sense efecte el contracte celebrat notificant-lo a l'altra part en el termini establert sense necessitat de justificar la seva decisió i sense penalització (art. 68.1 TRLGCU).

El consumidor pot desistir en els casos previstos legalment o reglamentàriament i quan se li reconegui en l'oferta, promoció publicitat o en el mateix contracte. El desistiment legal es regeix per la llei que ho estableixi i subsidiàriament per la TRLGCU; en tot cas són nul·les de ple de dret les clàusules que imposin al consumidor una penalització per l'exercici del seu dret de desistiment (art. 68 TRLGCU).

L'exercici del dret de desistiment no està subjecte a cap formalitat i el fet de que s'ha exercitat es pot provar de qualsevol forma admesa en dret (prova que és a càrrec del consumidor). Sempre es considera exercitat vàlidament mitjançant l'enviament del document de desistiment o mitjançant la devolució dels productes rebuts (arts. 70 i 72 TRLGCU) i no implica cap despesa per al consumidor i usuari. A aquests efectes es considera lloc de compliment el lloc on el consumidor hagi rebut la prestació (art. 73 TRLGCU).

El termini mínim d'exercici del dret és de catorze dies naturals des que es va rebre l'objecte o de la celebració del contracte (prestació de serveis) quan l'empresari hagi informat i lliurat el document de desistiment. Si no ho ha fet el termini per exercir-lo acaba dotze mesos després que hagi expirat el període inicial de desistiment des que es va rebre el bé o es va celebrar el contracte (prestació de serveis). Però si el deure d'informació i documentació es compleix en el termini de dotze mesos, el termini comença a comptar des d'aquest moment (art. 71 TRLGCU).

L'èxit del exercici el dret de desistiment comporta que les parts s'hagin de restituir recíprocament les prestacions executades, d'acord amb les previsions legals. El consumidor no ha de reemborsar cap quantitat per la disminució del valor del bé a conseqüència del seu ús d'acord amb el pactat o a la seva naturalesa, o per l'ús del servei i té dret al reemborsament de les despeses necessàries i útils que hagués realitzat. En el cas que hi hagi un compromís de permanència, la penalització per baixa, o cessament prematur de la relació contractual ha de ser proporcional al nombre de dies no efectius del compromís de permanència acordat (art. 74 TRLGCU).

L'empresari està obligat a tornar les sumes pagades pel consumidor sense retenció de despeses, el que ha de fer-se sense demores i, en qualsevol cas, abans que hagin transcorregut catorze dies naturals des de la data en què hagi estat informat de la decisió de desistiment. Passat aquest termini sense que el consumidor hagi recuperat la suma deguda, té dret a reclamar-la duplicada, sense perjudici que a més se l'indemnitzi pels danys i perjudicis causats en el que excedeixin d'aquesta quantitat. Correspon a l'empresari la càrrega de la prova sobre el compliment del termini (art. 76 TRLGCU).

La pèrdua o destrucció o una altra causa que faci impossible la devolució de la prestació no priva el consumidor del dret de desistiment. Si la impossibilitat és imputable al consumidor respon del valor de mercat que hagués tingut la prestació en el moment de l'exercici del dret de desistiment, llevat que el valor sigui superior al preu d'adquisició, cas en el que respon d'aquest. Quan l'empresari va incomplir el deure d'informació i documentació sobre el dret de desistiment, la impossibilitat de devolució només s'imputa al consumidor quan hagi omès la diligència exigible en els seus propis assumptes (art. 75 TRLGCU).

Lliçó 14
Obligacions amb pluralitat de subjectes

1. LA PLURALITAT DE SUBJECTES

En la relació obligatòria, com es va estudiar, es distingeixen dues posicions (o parts) jurídiques: l'activa o creditora i la passiva o deutora. Cada part o posició jurídica pot ser de composició individual, el que passa quan només està formada per una sola persona o plural, cas en què més d'una persona ocupa ja la posició deutora ja la creditora. A més, la presència simultània de més d'una persona pot donar-se només en la posició creditora (diversos creditors, pluralitat activa) o en la deutora (diversos deutors, pluralitat passiva) o en ambdues posicions alhora (pluralitat mixta).

La pluralitat de persones en la relació obligatòria comporta regles especials enfront de les generals, establertes per la situació individual, regles que determinen un règim particular. Però el que una o ambdues de les posicions jurídiques de la relació obligatòria sigui de composició plural no implica pluralitat de relacions jurídiques, hi ha i existeix un sol vincle jurídic que uneix a les parts per igual.

La concurrència de persones és una cotitularitat (del dret de crèdit) que fa més complicada la situació entre els que es produeix i condueix a distingir entre la relació externa, que és de la que es predica el règim particular i abasta a totes dues posicions jurídiques (creditora i deutora) i la relació interna que és la que hi ha entre els diversos deutors i creditors i dóna raó de la concurrència (són diversos deutors perquè compren al mateix temps, o perquè, al seu torn, són copropietaris, perquè han heretat conjuntament..., etc.).

L'organització de la pluralitat, en teoria pot fer-se d'acord amb tres criteris bàsics que desemboquen en modalitats de règims:

a) La segmentació: que determina el fraccionament, la relació obligatòria es divideix i es creen tantes relacions independents com a persones que hi intervenen. És el que passa en les anomenades obligacions parciàries o mancomunades divisibles.

b) La comunitat: en què el crèdit o el deute s'atribueix al grup que ha d'actuar col·lectivament i tant els creditors com el deutors ho són de la totalitat del crèdit o deute. Són les obligacions, pròpiament mancomunades indivisibles, en mà comú o conjuntes.

c) La solidaritat: situació en la qual cada persona que integra la posició activa (creditora) o la passiva (deutora) apareix com a creditora o deutora del tot. Són les obligacions solidàries.

El legislador en la relació obligatòria amb pluralitat de subjectes determina el règim jurídic prenent compte una altra dada: si la prestació és o no divisible. La divisibilitat o indivisibilitat de la prestació és la regla general, el que condueix a les obligacions parciaries o mancomunades divisibles i les obligacions conjuntes o mancomunades indivisibles; subsidiàriament, i només per als casos en què intervingui l'acord exprés o en els que la llei ho estableixi s'admet el règim de la solidaritat.

La divisibilitat o indivisibilitat de la prestació en les obligacions en què hi ha un deutor i un creditor no altera ni modifica les regles generals de les obligacions (art. 1149 CC), el que determina que la regla del pagament o compliment sigui la de la totalitat de la mateixa (art. 1169 CC).

Sí s'altera quan en les obligacions una o ambdues posicions jurídiques s'integren per més d'una persona. La divisibilitat o indivisibilitat de l'objecte determina el règim jurídic i dóna lloc a les obligacions parciàries o mancomunades divisibles; obligacions conjuntes, en mà comú o mancomunades indivisibles, que són el règim general atenent el caràcter de la prestació, i les obligacions solidàries.

Estudiem en primer lloc les obligacions divisibles i les obligacions indivisibles.

2. OBLIGACIONS DIVISIBLES I INDIVISIBLES

S'ha de delimitar bé el concepte de divisibilitat (o indivisibilitat) que es correspon al món de la realitat física i el que opera en el món del Dret ja que aquest pot arribar a considerar divisibles coses que no ho són en la realitat. La divisibilitat física o material i al revés la indivisibilitat, posa l'accent en la manera de ser la cosa. De manera que un bé és divisible quan pot partir-se sense que s'alteri la naturalesa de la cosa, encara que on n'hi havia un apareguin més.

En seu d'obligacions la divisibilitat o indivisibilitat depèn d'un acte de voluntat. Cal recordar que el degut pel deutor és una conducta, la prestació, amb independència del contingut específic d'aquesta (donar, fer o no fer), d'aquí la importància que té la manera en que es va designar en el moment de constituir-la, la prestació compromesa i com es satisfà l'interès del creditor.

Segons indica la norma es consideren indivisibles les obligacions de donar cossos certs i totes aquelles que no siguin susceptibles de compliment parcial (art. 1151 CC). S'estableixen dos criteris:

a) Cos cert: el concepte no té a veure amb el de divisibilitat física o material de la cosa sinó amb la designació d'aquesta en l'obligació. Si es delimita un objecte de forma única és indivisible (així una universalitat o diverses coses en globus); si s'individualitza de forma separada serà divisible.

   És indivisible l'obligació quan s'hagin volgut com un tot coses que no formin una unitat material i així es fa constar (per ex, es crea una col·lecció d'objectes diversos que es designa com un sol objecte: les pertinences d'una persona famosa); depèn de la concreció que facin les parts. En tot cas, quan la divisió (o indivisió) no es correspongui a criteris físics és necessari que consti clarament la voluntat de les parts respecte de la qualitat de la prestació;

b) Susceptibilitat de compliment parcial: l'obligació és divisible si és apta per a fraccionar-se en diverses parts qualitativament iguals al total i aquest compliment parcial no s'ha exclòs de manera expressa (el creditor no pot oposar-se, justificadament, al mateix).

Per a les obligacions de fer s'estableix que es reputen divisibles quan tenen per objecte la prestació d'un nombre de dies de treball, l'execució d'obres per unitats mètriques, o altres coses anàlogues que per la seva naturalesa són susceptibles de compliment parcial. Al que s'afegeix que en les obligacions de no fer, la divisibilitat o indivisibilitat es decideix pel caràcter de la prestació en cada cas particular (art. 1151. 2 i 3 CC).

3. LES OBLIGACIONS MANCOMUNADES DIVISIBLES O PARCIÀRIES

En les obligacions mancomunades divisibles, a les que també s'anomena obligacions parciàries en què l'objecte és divisible la concurrència de diversos creditors o deutors comporta que el crèdit o el deute es divideixi en tantes parts com creditors o deutors (persones) hi hagi i es consideren crèdits o deutes diferents uns dels altres (art. 1138 CC).

Pressupòsits d'aquest règim són:

a) Que la prestació, d'acord amb el concepte estudiat, sigui divisible, ja que en cas contrari s'apliquen les regles de l'obligació conjunta o en mà comú i

b) Que concorrin diversos creditors o diversos deutors (o tots dos alhora) en una relació obligatòria de vincle únic ("en una sola obligació"). Sense aquest requisit no existiria pluralitat de persones sinó d'obligacions, situació que és diferent d'aquesta (així els supòsits d'obligació principal i accessòria, o de les obligacions connexes).

En aquest cas la relació obligatòria neix unitàriament per a continuació procedir a fragmentar-se en crèdits o deutes diferents els uns dels altres (art. 1138 CC).

Si no es pacta una altra cosa, la divisió es fa entre els crèdits i els deutes a parts iguals; en cas contrari es fa en la proporció que correspongui a cada un. Però pel que fa al nombre de vincles que resulten de la fragmentació aquests són iguals al de creditors i deutors que hi hagi (persones) amb independència de la seva proporció en el tot (la quota que tinguin), ja que la finalitat és que hi hagi tants crèdits i deutes com a persones.

Aquest és el règim general en el supòsit de pluralitat de persones en la relació (art. 1138 CC).

En aquestes obligacions cada creditor o cada deutor (o tots dos) actua, respecte de la seva part com si l'obligació fos única i amb completa autonomia. De manera que, de fet, és com si es tractessin de crèdits o deutes independents i formades per un sol deutor o creditor.

4. LES OBLIGACIONS MANCOMUNADES INDIVISIBLES O CONJUNTES

Es denominen obligacions mancomunades indivisibles, en mà comuna o obligacions conjuntes aquelles en què hi ha diversos creditors o deutors (o tots dos alhora) en una sola relació obligatòria i en les que la prestació és indivisible i ha d'actuar la col·lectivitat de creditors i / o la de deutors (arts. 1139 i 1150 CC). De manera que el crèdit ha de ser executat pel grup, i si es tracta de pluralitat de deutors el creditor no pot exigir el compliment més que al conjunt de deutors i aquests no s'alliberen si no actuen col·lectivament (art. 1139 CC).

La pluralitat és titular del total dret de crèdit o suporta el total deute i ha d'actuar conjuntament.

Són requisits per a l'aplicació d'aquest règim:

a) Que la prestació sigui indivisible, ja que en cas contrari s'apliquen les regles de l'obligació parciària i procedeix la fragmentació estudiada, i

b) Que concorrin diversos creditors o diversos deutors (o tots dos alhora) en una relació obligatòria de vincle únic.

El fet que vàries persones concorrin com a deutors o creditors conjunts pot obeir a vàries causes una de les quals, la més habitual, és pel fet de que, a la vegada, són copropietaris o estan en una situació de comunitat i per raó d'aquesta intervenen en una relació obligatòria alhora. Això explica que es tinguin en compte les regles de la comunitat pel que fa als actes de gestió i administració i a la possible actuació individual (arts. 552-3 a 552-7 CCCat).

4.1. El crèdit conjunt

La pluralitat de creditors aboca de manera necessària i mentre romangui la situació d'indivisió a l'actuació conjunta dels creditors, ja que només afecten i són eficaços als altres els actes col·lectius (art. 1139.1 CC).

No obstant això, per aplicació de les regles de la comunitat de béns (art. 552-7 CCCat) que és la situació subjacent a la pluralitat de creditors (són copropietaris la major part de les vegades) s'entén que cada creditor està legitimat individualment per dur a terme qualsevol acte del què es derivi algun avantatge per a tothom. I, per descomptat, es considera que està legitimada l'actuació individual sempre que es mantingui l'obligació de reparar als demés creditors el perjudici que se'n pogués derivar.

En aquest sentit es qualifiquen com a actes perjudicials, per als quals es requereix la intervenció de tots, la renúncia, la condonació i la transmissió del crèdit. També, la novació que suposi la substitució del deutor, modificació de la prestació o de les condicions essencials requereix el consentiment de tots. En canvi, n'hi ha prou amb l'actuació individual en els casos de constitució en mora del deutor, en els actes d'interrupció de la prescripció o en la constitució de noves garanties.

Encara que l'actuació conjunta dels creditors és la norma, el que rep un només dels creditors és un compliment eficaç que allibera al deutor per aplicació dels principis que regeixen el pagament (on s'admet, com se sap, la intervenció d'un tercer, l'autorització tàcita per rebre, la situació de creditor aparent, arts, 1162, 1163 i 1164 CC). Els cocreditors només podran reclamar quan no els hagi revertit la utilitat, i, si escau, en la relació interna entre ells. Quan la situació de mancomunitat és deguda a pacte exprés, però, continua regint la regla que el pagament s'ha de fer a tots conjuntament.

Si el deute s'exigeix judicialment també ho han de fer tots els creditors col·lectivament (art. 12.1 LEC), però l'absència d'un o diversos no impedeix que el procés pugui seguir endavant quan es pretengui el pagament de l'obligació. Si es persegueix la resolució de la relació (ex art 1124 CC), al tractar-se d'un acte de disposició, és necessària l'actuació conjunta.

4.2. El deute conjunt

La pluralitat de deutors en la relació obligatòria conjunta determina que el deute només es pot fer efectiu si s'exigeix a tots els deutors (art. 1139.2 CC). De manera que l'exigència de compliment dels creditors, tant extrajudicial com judicial ha de formular-se front tots els deutors. Per excepció quan es tracti del lliurament d'una cosa i aquesta es trobi en poder d'un sol dels deutors és vàlid que s'exigeixi a aquest individualment.

El deute conjunt comporta litisconsorci passiu necessari, ja que quan per raó del que sigui objecte del judici la tutela jurisdiccional sol·licitada només es pugui fer efectiva davant de diversos subjectes considerats conjuntament, tots ells hauran de ser demandats, com a litisconsorts, llevat que la llei disposi expressament una altra cosa (art.12.2 LEC). Igualment succeeix respecte dels actes extrajudicials que tinguin caràcter defensiu del crèdit. En les obligacions mancomunades la reclamació del creditor no interromp la prescripció respecte dels altres deutors (art. 1974 CC). També, per a la constitució en mora s'ha de procedir davant de tots els deutors, no aïlladament.

En inici, en el que afecta al compliment voluntari tots els codeutors han d'actuar col·lectivament. No obstant això, el pagament fet per un dels deutors, sempre que reuneixi els requisits objectius que s'exigeixen, és vàlid i eficaç (aplicant les regles del pagament de tercer).

Conseqüència de la mancomunitat és que l'incompliment de qualsevol dels deutors s'estén als altres, provocant l'extinció de la relació obligatòria. Literalment la norma indica que l'obligació es resol en indemnitzar danys i perjudicis des que qualsevol dels deutors falta al seu compromís (art. 1150 CC). Aquesta expressió significa que extingida l'obligació aquesta es transforma en l'equivalent pecuniari (el seu valor), sense perjudici que el creditor pugui exigir l'execució *in natura*. S'agrega que els deutors que hagin estat disposats a complir l'obligació no han de contribuir amb més quantitat que la que els correspongui del preu o valor de la prestació.

Extingida l'obligació per incomplint aflora a l'exterior la relació interna dels deutors.

La responsabilitat de cada deutor és individual, no conjunta, cadascun respon de la part pròpia i la culpa s'assigna al deutor que va actuar negligentment (art. 1150.2 CC). En cap cas, repercuteix en els altres la insolvència d'un d'ells que no estan obligats a suplir-la (art. 1139.2 CC).

5. LES OBLIGACIONS SOLIDÀRIES

En les obligacions solidàries la concurrència de dos o més creditors o de dos o més deutors implica que cada un dels creditors té el dret a demanar i cada un dels deutors ha de realitzar la totalitat de la prestació, com si fos un únic creditor o un únic deutor (art. 1137 CC), sense perjudici de la redistribució en la relació interna. És indiferent que la prestació sigui divisible o indivisible, en ambdós casos pot aplicar-se aquest règim, de manera que la complicació s'ordena considerant que hi ha un únic creditor o deutor. Amb tot, això no suposa que la presència de més d'una persona s'abstregui del tot, sinó que té rellevància.

El règim de la solidaritat, com es va indicar, té caràcter subsidiari, només pot actuar quan per pacte entre les parts o de la naturalesa de l'obligació resulti que s'ha volgut així i comporta que hi ha una sola relació obligatòria en la qual cada un els deutors i creditors pot actuar individualment el tot. Malgrat que la norma és clara, la doctrina jurisprudencial interpreta l'exigència de voluntat expressa d'establiment de la solidaritat de manera àmplia, i fins i tot l'aplica a supòsits en els quals no està prevista legalment, com passa en relació amb la responsabilitat civil extracontractual (l'anomenada solidaritat impròpia).

La solidaritat en tot cas, implica unitat d'objecte i de vincle i pot existir encara que els creditors o deutors no estiguin vinculats de la mateixa manera (per exemple, no ho estan el deutor i el fiador) ni pels mateixos terminis (per a uns més llargs, altres més curts) i condicions (art. 1140 CC), és l'anomenada solidaritat vària, enfront de la solidaritat unitària que és la més freqüent.

5.1. El crèdit solidari

S'ha de distingir la relació externa, en la qual opera el règim de la solidaritat, de la relació interna que és la que uneix a les persones (als diversos creditors entre si, als diversos deutors entre si, i que pot ser una relació jurídica o no).

La solidaritat activa comporta que cada creditor té dret a exigir, de manera íntegra el compliment de la prestació (art 1137 CC) i que el deutor ha de pagar el deute a qualsevol dels creditors solidaris (art. 1142, prin. CC); és a dir, el que es coneix com el principi de legitimació individual o indistinta.

En la relació externa (que és la solidaritat), qualsevol creditor pot:

a) Dur a terme actes de gestió de manera individual amb eficàcia davant el deutor que repercuteixen en la resta dels creditors (art. 1141 CC). Així un sol creditor pot interrompre la prescripció (art. 1974.1 CC) o interpel·lar la mora.

b) Rebre el pagament que el deutor li ofereix, llevat que el deutor hagi estat demandat judicialment per un creditor concret, en aquest cas ha de fer el pagament a aquest (art. 1142 CC).

c) Exercitar accions judicials davant el deutor per reclamar el compliment o per resoldre l'obligació (en el cas de les obligacions recíproques).

d) Extingir el crèdit de manera diferent del compliment. Determina la norma (art. 1143 CC) que la novació, compensació, confusió o remissió de deute feta per qualsevol dels creditors solidaris extingeix l'obligació sense perjudici del dret al reemborsament i de la responsabilitat en la relació interna.

En general, qualsevol creditor pot fer tots els actes que siguin beneficiosos per als altres i no els que siguin perjudicials. L'aparent contradicció que existeix entre els preceptes (art. 1141 i 1143 CC), s'interpreta en el sentit que són actes beneficiosos tots aquells que faciliten el compliment de l'obligació (que és la finalitat pretesa), mentre que són perjudicials aquells que comporten un allargament o la fan més onerosa.

En la relació interna es tracta de, un cop extingida la relació obligatòria, reequilibrar als creditors entre si, conforme la situació jurídica que els uneixi i als acords que hi hagi entre ells. El cobrament de l'obligació per un només dóna dret als altres creditors a reclamar el que els correspongui. Però la relació interna no ha de ser solidària sinó que pot ser d'un altre tipus; de fet la norma considera que el règim és el de les obligacions parciàries, perquè indica que el que cobri el deute respon enfront dels altres de la part que li correspon en l'obligació (art. 1143.2 CC).

Un supòsit de solidaritat activa és el compte bancari indistint en el qual cada un dels titulars està legitimat per disposar del saldo enfront de l'entitat de crèdit, la qual cosa no suposa necessàriament que hi hagi copropietat entre els creditors, ja que pot demostrar-se la pertinença individual i el percentatge en el seu cas (tot i que, fiscalment, mentre no es demostri, s'entén que és a parts iguals).

5.2. El deute solidari

La solidaritat passiva comporta que cada deutor deu de manera íntegra, com si fos únic, la prestació (art 1137 CC), i el creditor pot dirigir-se contra qualsevol dels deutors solidaris (art. 1144 CC); és a dir, el pagament fet per un dels deutors solidaris extingeix l'obligació (art. 1145. 1 CC), sense perjudici de la recuperació en la relació interna.

Com s'ha estudiat en el crèdit convé distingir entre la relació interna i l'externa.

La relació externa és la que correspon al règim de la solidaritat. En ella la vinculació íntegra per el tot de cada un dels deutors enfront del creditor posa de relleu els avantatges que té aquest règim, davant del ordinari, ja que suposa un reforç o garantia pel creditor. Això es tradueix en el següent:

a) El *ius variandi* del creditor (art. 1144 CC) que pot dirigir-se contra qualsevol dels deutors solidaris o contra tots ells simultàniament, el que pot fer judicialment o extrajudicialment. És més, mentre el deute no s'hagi pagat completament el fet d'haver exercit l'acció de reclamació davant un dels deutors no és obstacle per a exercitar-la davant dels altres.

b) El creditor ha d'acceptar el pagament voluntari que faci un dels deutors ja que no només té ell el dret d'elecció sinó que cada deutor individualment està legitimat per extingir l'obligació (art. 1145.1 CC).

c) Respecte dels actes de gestió i conservació del crèdit la norma disposa que les accions, siguin judicials o no, exercides contra qualsevol dels deutors perjudiquen a tots (art. 1141.2 CC).

d) La comunicació de responsabilitat: la impossibilitat sobrevinguda de la prestació deguda a la culpa d'un dels deutors no eximeix de l'obligació. Tots són responsables del seu compliment (per equivalència: valoració econòmica) i dels danys i perjudicis, sense perjudici de l'acció entre ells en la relació interna (art. 1147. 2 CC).

e) La cobertura de la insolvència: la insolvència d'un deutor solidari se supleix pels altres en la proporció que correspongui a cadascun (art. 1145.3 CC).

f) Extingir el crèdit de manera diferent del compliment, o modificar l'obligació. Determina la norma (art. 1143 CC) que la novació, compensació, confusió o remissió de deute feta amb qualsevol dels deutors solidaris extingeix l'obligació sense perjudici del dret al reemborsament i responsabilitat en la relació interna.

La norma no distingeix supòsits específics que han de concretar-se. Així quan la condonació o compensació són parcials l'efecte extintiu no arriba a tota la relació obligatòria. Pel que fa a la novació caldrà estar al cas concret i a si afecta els subjectes o l'objecte. Si no intervenen tots els deutors l'efecte ha de ser el d'extinció de l'obligació, en canvi s'entén que la modificació que no altera de manera substancial la prestació compromesa vincula a tots, encara que es pacti unilateralment.

g) Extensió dels actes jurídics, en concret, la interpel·lació de la mora feta a un dels deutors s'estén als altres. Així mateix la interrupció de la prescripció feta davant un dels deutors perjudica els altres (art. 1974 1 i 2 CC).

h) Al·legació d'excepcions (art. 1148 CC): el deutor solidari pot utilitzar enfront de les reclamacions del creditor totes les excepcions que es derivin de la naturalesa de l'obligació, és a dir les anomenades objectives (manca de venciment, nul·litat, pagament, remissió). Si són excepcions de caràcter personal (minoria d'edat, capacitat modificada judicialment) el deutor només pot utilitzar les que li corresponen personalment i de les que siguin dels altres codeutors només les pot fer servir en la part del deute que sigui d'aquests (aquí la norma aflora la relació interna i no provoca l'efecte expansiu).

En la relació interna, una vegada s'ha extingit la relació obligatòria, té lloc el reequilibri econòmic entre els codeutors d'acord amb la relació que els unia o als pactes que hi hagi entre ells. En general la norma presumeix que aquesta és de caràcter parciari doncs es disposa que el deutor que va pagar pot reclamar als altres la part que correspongui a cada un amb els interessos de la bestreta (art. 1145.2 CC). Així mateix, per aplicació del principi de l'enriquiment injustificat, si l'extinció va tenir lloc a costa d'un sol dels deutors (actes de l'art. 1143 CC) aquest pot reclamar als altres la part que en la que s'han enriquit.

La cobertura de la insolvència i de la responsabilitat que ha tingut lloc en la relació externa quan l'obligació s'extingeix es reequilibra en la relació interna i es procedeix, si escau, a l'acció contra qui l'hagi causat (art. 1145.3 i 1147.2 CC).

Es discuteix si, a més de l'acció de retorn que pot exercir el deutor a càrrec del qual es va extingir l'obligació enfront dels altres per recuperar la part que no li correspon, té dret a subrogar-se en la posició del creditor, ja que es possible la subrogació quan paga qui té interès en compliment de l'obligació (art. 1210 3º CC). La diferència entre l'acció de reemborsament i la subrogació és que aquesta ultima, descomptada la part que li corresponia, manté la mateixa relació obligatòria amb els seus caràcters, entre ells la seva naturalesa solidària i les garanties que tingués, el que no succeeix en l'acció de retorn en la que neix *ex novo* una obligació. En tot cas la diferència entre una i altra no és econòmica, perquè es recupera el mateix, sinó jurídica (el gaudi dels privilegis). Sembla que l'efecte de la subrogació limitada (perquè no abasta a la totalitat del deute) s'ha d'admetre, sempre que no s'hagués exclòs de manera expressa (aquestes dues vies s'admeten en la fiança i en el pagament de tercer).

Lliçó 15
La responsabilitat civil extracontractual

1. CONCEPTE I FUNCIONS

La responsabilitat civil extracontractual és la disciplina que estudia els mecanismes de rescabalament dels danys a la persona que els ha patit.

Ja hem vist que els actes o omissions il·lícits en què hi ha culpa o negligència són una font d'obligacions (art. 1089 CC). L'art. 1902 CC disposa que qui per acció o omissió causa un dany a un altre, intervenint culpa o negligència està obligat a rescabalar el dany causat. És la no observança del deure jurídic de no perjudicar els altres (*neminem laedere*) el que produeix l'obligació de reparar el dany causat i la responsabilitat civil assegura aquesta reparació.

La responsabilitat civil compleix diverses funcions:

a) Funció compensatòria: el que es pretén és en primer lloc el rescabalament dels danys, fonamentalment mitjançant la indemnització dels danys i perjudicis que s'han produït, però també es persegueix la compensació del dany mitjançant la restitució o la reparació del bé

b) Funció preventiva: la pròpia existència de la responsabilitat civil és un instrument de dissuasió pel conjunt del subjectes a traves de la qual s'emet el missatge que s'han d'abstenir de realitzar conductes que provoquin danys.

c) Funció punitiva: malgrat que en termes generals no es pot afirmar que es disposi en funció de la gravetat de la conducta (culpa lleu, lata o greu), sinó que per la seva determinació s'està a l'entitat del dany te un caràcter sancionador (com a retret de la mateixa).

d) Funció demarcadora: estableix els límits entre els drets d'una i altra persona de forma que les actuacions il·legítimes que els sobrepassin donaran lloc a la indemnització.

No existeix d'una reglamentació unitària ni sistematitzada de la responsabilitat extracontractual, sinó que es troba regulada en molt diverses fonts legals. D'una banda, en el Codi Civil espanyol (art. 1902 a 1910) que ara és la norma bàsica en la matèria, però també s'hi refereixen altres normes generals com el Codi Penal (arts. 109 a 125), la Ley 40/2015 del Régimen Jurídico del Sector Público (arts. 32 a 37) i la Ley 31/1995 de Prevención de Riesgos Laborales; i altres lleis especials que regulen supòsits concrets com els danys derivats de la conducció de vehicles, els danys produïts per productes defectuosos, els danys mediambientals, o els danys produïts per l'energia nuclear o per la navegació aèria, entre altres. En l'aplicació de tota aquesta normativa si veuen implicades totes les jurisdiccions (civil, penal, contenciosa-administrativa i social).

L'entitat i rellevància que la matèria de la responsabilitat extracontractual ha vingut assolint en els darrers temps ha portat a la doctrina a parlar del "Dret de danys" i a alguns autors a reclamar la seva autonomia com una branca diferenciada del dret.

2. TIPUS DE RESPONSABILITAT CIVIL

2.1. Responsabilitat contractual i extracontractual

En tot cas, la responsabilitat civil implica l'incompliment culpable d'una obligació. Ara bé, l'obligació de rescabalar s'anomena contractual quan el dany l'ocasiona una de les parts d'una relació jurídica a l'altra perquè no compleix les seves obligacions contractuals o les obligacions que ja existien entre les parts (sigui quina sigui la font). Si l'incompliment és culpós o dolós o el deutor incorre en mora o contravé el tenor de l'obligació resta subjecte a la indemnització dels danys i perjudicis causats (art. 1101 CC).

Si el dany és el resultat d'una acció o omissió culpable i no hi ha una relació jurídica prèvia entre l'agent de l'acció o omissió i la víctima del dany, també s'origina l'obligació de rescabalar-lo (art. 1902 CC), però es tracta d'un supòsit de responsabilitat extracontractual, també anomenada aquiliana, pel seu origen històric (*Lex aquilia*).

La responsabilitat civil contractual i l'extracontractual es distingeixen, doncs, fonamentalment en el seu origen i comporten dos règims de responsabilitat amb característiques diferenciades. Així quant a:

a) L'extensió del dany indemnitzable: A la responsabilitat contractual s'indemnitza el dany previst o que s'hagi pogut preveure en el moment de constituir-se l'obligació i que sigui conseqüència necessària de la seva falta de compliment (art. 1107 CC), mentre que a la responsabilitat extracontractual, no és aplicable la limitació del dany indemnitzable, perquè regeix el principi de reparació integral, l'obligació no està prevista sinó que neix un cop s'ha produït el dany.

b) Prescripció de les accions: El termini per a l'exercici de les accions de responsabilitat contractual que no tinguin un termini específic és de 10 anys (art. 121-20 CCCat), mentre que la responsabilitat extracontractual té un termini de prescripció de tres anys (art. 121-21 d) CCCat).

c) Pluralitat de responsables: A la responsabilitat contractual la concurrència de diversos deutors no implica solidaritat (no es presumeix, art. 1137 CC) en canvi, a l'extracontractual, si concorren una pluralitat de responsables i no és possible determinar exactament quina ha estat la participació de cada un d'ells aquests, malgrat que per aplicació de les regles generals no correspon, els tribunals condemnen a que tots responguin solidàriament (el que s'anomena solidaritat impròpia), i això, a fi d'atendre a la necessitat d'assegurar la indemnització a la víctima del dany mitjançant les majors garanties que li ofereix la solidaritat de deutors (les lleis especials sobre responsabilitat ja preveuen expressament la solidaritat).

2.2. *Responsabilitat derivada d'il·lícit civil i d'il·lícit penal*

De la comissió d'una conducta que constitueixi un delicte (conducta tipificada) sorgeix sempre responsabilitat penal, i també l'obligació de rescabalament del dany ocasionat (art. 109 CP). En aquest sentit, l'art. 116 CP estableix que tota persona criminalment responsable d'un delicte o falta ho és també civilment si del fet se'n deriven danys o perjudicis, i l'art. 100 LECrim disposa que de tot delicte o falta pot néixer també acció civil per a la restitució de la cosa, la reparació del dany i la indemnització dels perjudicis causats pel fet punible.

Aquesta obligació de reparació del dany és un supòsit de responsabilitat civil extracontractual que es regula en les normes penals (Codi Penal i LO 5/2000, reguladora de responsabilidad penal de los menores). L'art. 1092 CC disposa que les obligacions civils que neixin dels delictes o faltes es regiran per les disposicions del Codi Penal. Aquí cal entendre que es regiran per les normes penals d'àmbit substantiu i processal (Codi Penal, LORM i LECrim). Amb tot, sempre és possible que es reservi l'acció de responsabilitat civil per exercir-la davant els tribunals civils.

Les accions o omissions culpables productores de danys que no estiguin tipificades a la legislació penal originen un il·lícit civil. En aquest sentit, l'art. 1093 CC disposa que les obligacions civils que deriven dels actes o omissions en que intervingui culpa o negligència no penades per la llei, quedaran sotmeses a les disposicions del Codi Civil. Amb tot la reparació del dany originat en un l'il·lícit civil pot haver de ser reclamat per altres vies davant les jurisdiccions contenciosa administrativa o laboral, quan així ho disposi la llei.

Pel que fa a la normativa aplicable a la responsabilitat civil i a la jurisdicció competent per resoldre sobre ella cal, tenir en compte que:

- Si es tracta de la indemnització de danys causats per un il·lícit civil, la jurisdicció i la normativa aplicable, seran la civil. En aquest cas, s'exercitarà una acció de responsabilitat civil (art. 1101 i 1902 ss. CC).

- En el supòsit d'un il·lícit penal constitutiu de delicte o falta que origina responsabilitat civil, normalment s'exerciran simultàniament l'acció penal i la de responsabilitat civil (art. 112 LECrim). La sentència de condemna, dictada en la jurisdicció criminal, ha de resoldre d'acord amb la normativa penal sobre la indemnització per responsabilitat civil. Amb tot, la víctima pot renunciar a l'exercici de l'acció civil o fer reserva expressa de la mateixa per exercir-la un cop finalitzat el procediment penal, a la jurisdicció civil (LECrim.). En principi, d'acord amb l'art. 1092 CC, els tribunals civils haurien d'aplicar la normativa penal, però raons d'equitat sovint justifiquen l'aplicació de la regulació civil.

- Si no s'arriba a dictar sentència penal, per exemple per mort del processat durant el procediment, la jurisdicció penal cessa en la causa i queda oberta la via civil i s'aplicarà la normativa civil (l'acció es podrà dirigir contra els hereus).

- Si el procediment penal acaba sense sentència condemnatòria no resoldrà sobre la responsabilitat civil. En aquest cas el perjudicat encara es podrà dirigir a la jurisdicció civil, per exigir la responsabilitat civil derivada d'il·lícit civil.

- Quan el procediment penal acaba sense condemna perquè els processats estan exempts de responsabilitat criminal d'acord amb l'art. 20 CP (incapaços, persones amb trastorns mentals, menors, etc), l'art. 118 CP considera que aquesta exempció de la responsabilitat criminal no comprèn la de la responsabilitat civil que es farà efectiva d'acord amb les regles que estableix el CP. En aquests supòsits, la sentència penal no condemna pel delicte o falta, però sí que estableix la indemnització de danys, de manera que ha de resoldre, aplicant la normativa penal, sobre la responsabilitat civil dels processats tot i trobar-se exempts de responsabilitat criminal.

- En els supòsits que malgrat que poden ser constitutius d'un il·lícit penal s'ha fet reserva de l'acció civil o no s'ha demanat la responsabilitat civil, s'aplicarà la normativa civil.

- En ocasions, per raó del subjecte que ha dut a terme l'acció o omissió, la responsabilitat civil s'haurà demanar davant la jurisdicció administrativa o la laboral i quedarà subjecte a les normes específiques, si les hi ha.

2.3. Responsabilitat civil subjectiva i objectiva

L'art. 1902 CC enuncia de manera general el principi de responsabilitat subjectiva al disposar que qui per acció o omissió causi dany a un altre intervenint culpa o negligència, està obligat a reparar el dany causat. El demandant ha de provar la negligència del demandat. Així, la responsabilitat subjectiva és la que regeix per regla general en el nostre ordenament sempre que no s'estableixi per llei un règim distint de responsabilitat o l'exclogui la jurisprudència.

La responsabilitat subjectiva s'ajustava a la situació de la societat individualista i d'economia liberal del temps en què va ser promulgat el CC, en la que la víctima podia preveure l'acció danyosa i per això havia de provar la culpa de l'agent. Però amb l'evolució de la societat molts danys es relacionen amb els avanços tecnològics i es produeixen en massa, i tot plegat dificulta al perjudicat obtenir la prova de la negligència del causant del dany. Per això, sovint, en pro de la justícia material del cas concret, fins i tot en el cas que el causant del dany hagi utilitzat la màxima diligència se li exigeix que respongui del dany, perquè s'aplica el criteri de que qui obté el benefici d'una determinada activitat també ha de suportar el perjudici i s'objectivitza així la responsabilitat.

La responsabilitat objectiva suposa que la sola producció del dany genera l'obligació de rescabalar-lo. Es fonamenta en la utilitat que genera el dany a l'agent o en el risc que crea l'activitat que dur a terme.

En el primer cas, el rescabalament del dany a càrrec de qui l'ha provocat pot ser la contrapartida a la utilitat o profit econòmic que n'obté. En el segon, amb base al que s'ha denominat la teoria del risc, es defensa que qui crea el risc especial per la resta i n'obté el benefici és responsable del dany que aquest risc pugui produir, sense necessitat d'incórrer en culpa o negligència, i ha d'assumir la responsabilitat objectiva del dany que pugui ocasionar.

Amb la responsabilitat objectiva s'inverteix la càrrega de la prova, de manera que no és el perjudicat qui ha de demostrar la culpa de l'agent, sinó que és l'agent qui ha de provar que ha utilitzat la màxima diligència (no culpa). El perjudicat únicament ha de provar el dany i que l'ha produït l'agent. Algunes normes i lleis especials regulen els següents supòsits de responsabilitat objectiva:

- Responsabilitat pels danys causats pels animals: L'art. 1905 CC disposa que el responsable dels danys causats per un animal, tant si és o no domèstic o domesticat, és el seu posseïdor (art. 1905 CC).

- Responsabilitat pels danys produïts per la caiguda d'arbres: El responsable és el propietari de la finca. La única causa d'exoneració és la força major (art. 1908.3 CC).

- Responsabilitat pels danys ocasionats per les coses que es llencen o cauen d'una casa: El responsable és el cap de família que l'habita (art. 1910 CC)

- Responsabilitat civil per producte defectuós: establerta en el Texto Refundido de la Ley General en Defensa de los Consumidores y Usuarios (TRLGDCU). El fabricant i l'importador solidàriament i el proveïdor del producte quan no es conegui la identitat del fabricant, responen del dany causat pel producte defectuós. El demandant ha de provar el defecte, el dany i el nexe causal, però no la culpa del fabricant. Són causes d'exoneració la culpa exclusiva del perjudicat i el risc de desenvolupament, que es refereix a que l'estat del coneixement no permetia conèixer el vici del producte.

- Danys personals en accidents de circulació de vehicles a motor: regulada en el Texto Refundido de la Ley Responsabilidad Civil y Seguro en la Circulación de Vehículos a Motor. El conductor del vehicle és responsable del dany ocasionat en virtut del risc creat per la conducció i solament es pot exonerar provant que els danys foren deguts a la culpa exclusiva del perjudicat o a una força major estranya a la conducció i funcionament del vehicle. En aquest cas, es dona una peculiaritat important ja que les quanties de les indemnitzacions per danys personals es troben consignades en unes taules en funció dels tipus de danys produïts.

- Danys causats per la navegació aèria: la reparació dels danys personals i materials causats pels accidents aeris es regula a la Ley de Navegación Aérea.

- Danys nuclears: regulats a la Ley sobre responsabilidad civil por daños nucleares o producidos por materiales radioactivos.

- Danys mediambientals: regulats a la Ley de responsabilidad medioambiental.

En la majoria de supòsits en que regeix un sistema de responsabilitat objectiva s'estableix l'obligatorietat legal de contractar una assegurança de responsabilitat civil que garanteix que es faran efectives les indemnitzacions als perjudicats. A fi d'oferir una màxima protecció a la víctima del danys, la llei li concedeix acció directa contra l'assegurador (art. 76 LCS)

3. PRESSUPÒSITS DE L'OBLIGACIÓ. RESPONSABILITAT PER ACTES PROPIS

L'art. 1902 CC contempla la responsabilitat per actes propis en establir que el que per acció o omissió causa dany a un altre, intervenint culpa o negligència, està obligat a reparar el dany causat. Aquest precepte disposa els pressupòsits necessaris perquè s'origini l'obligació d'indemnitzar, que són:

- L'acció o omissió, que és un activitat, conducta o omissió que dur a terme un subjecte i que ocasiona un resultat danyós.

- La culpa o negligència (imputació subjectiva), que significa que la conducta del subjecte s'ha d'haver fet amb dol o culpa o negligència si es tracta de responsabilitat subjectiva. La mera realització de l'activitat és suficient si la responsabilitat és objectiva.

- El dany, que és el perjudici que pateix la víctima en la seva persona (danys corporals o danys morals) o el seu patrimoni.

- La relació de causalitat, que és la connexió (nexe causal) entre l'acció i el dany. Per determinar aquesta connexió s'utilitzen criteris d'imputació objectiva com el de la causalitat adequada, l'increment del risc i la finalitat de la norma concreta de responsabilitat.

3.1. L'acció o omissió

L'acció a què es refereix l'art. 1902 CC és una conducta atribuïble a una persona, un comportament humà, que pot ser una acció ja directa, ja remota i tant material com intel·lectual. En tot cas exigeix el control i el domini de la conducta per part de qui l'executa (s'exclouen supòsits d'hipnosis o en el que s'està sota els efectes d'un fàrmac o droga que elimina el control).

Pel que fa a l'omissió a la que també es refereix el precepte és una conducta passiva o manca d'activitat. Aquí hi caben dues situacions diferents. La primera, seria l'omissió d'un comportament que hauria de produir-se en el transcurs d'una activitat prèvia (ex. reduir la velocitat del cotxe). La segona forma d'omissió és la no actuació davant d'una situació determinada o abstenció, que permet que es produeixi un fet danyós en el qual no s'ha intervingut però que s'hauria pogut evitar (ex. omissió de socors). En aquests casos la responsabilitat es fonamenta en la contravenció del deure de solidaritat i bona fe.

L'acció o omissió ha de ser antijurídica, és a dir, contrària a dret, la qual cosa significa que vulnera una norma que protegeix un dret o un bé jurídic. I també serà antijurídica la conducta que té com a resultat la producció d'un dany que vulnera el deure jurídic general de no causar un dany a un altre (*alterum non laedere*). Fins i tot si l'agent actua exercint un dret propi l'acció serà antijurídica quan suposi un exercici abusiu del dret i provoqui danys per a tercers (l'art. 7 CC).

Ara bé, no és antijurídica la conducta quan hi ha una justificació per la mateixa i així està expressament recollit per una norma. Es tracta dels supòsits de: a) legítima defensa; b) estat de necessitat; i c) compliment d'un deure o exercici legítim d'un dret ofici o càrrec.

3.2. La culpa o negligència

En seu de responsabilitat extracontractual els conceptes de culpa o negligència i dol tenen un significat propi:

Hi ha dol, quan hi ha voluntat de realitzar un acte antijurídic amb coneixement de la seva il·legalitat, però sense que l'agent hagi previst o pogut preveure tots i cadascun dels efectes. S'identifica amb la mala fe.

Hi ha culpa o negligència quan l'activitat personal no s'ajusta a la conducta diligent de les persones, bé conscientment si coneix però no espera el resultat, bé inconscientment quan el resultat s'hagués pogut evitar amb diligència.

La diligència de l'agent té la seva mida en la conducta estàndard, el que es coneix com el comportament d'un bon pare de família (art. 1104 CC), o si s'escau, d'un professional (*lex artis*) que si s'hagués observat hauria evitat el resultat danyós.

Per regla general és el perjudicat qui ha de demostrar el dany, l'autoria i la culpa. Amb tot, els tribunals acostumen a invertir la càrrega de la prova presumint la culpa davant la versemblança o gran possibilitat de la seva existència.

3.3. El dany

El dany és el detriment que pateix una persona en els seus béns personals o en el seu patrimoni com a conseqüència d'un esdeveniment. Sense dany no hi ha responsabilitat. Pot ser un dany material que afecta el patrimoni o a la pròpia persona, o un dany moral que produeix un patiment o dolor a la víctima.

Es parla de dany corporal per referir-se al que es causa a l'organisme i la ment d'una persona. Les lesions de qualsevol tipus impliquen un perjudici patrimonial que abasta, si escau, les despeses de les atencions mèdiques (dany emergent) i les conseqüències patrimonials que pot comportar una disminució física o psíquica (lucre cessant). És possible que en aquests supòsits també existeixi dany moral.

El dany moral és el dolor físic o moral infringit a la persona. En aquests supòsits, la indemnització no suposa la compensació del que s'ha patit, sinó una reparació satisfactòria. La indemnització del dany moral és de difícil quantificació i correspondrà al jutjador que la valorarà cas per cas d'acord amb criteris d'equitat. També la persona jurídica pot patir danys morals (ex. vulneració al dret a l'honor o reputació).

La mort és un dany a la pròpia víctima però també un dany dels perjudicats per la mort d'una altra persona, com un familiar dependent, la parella.. i respecte a aquest cal dir que no hi ha transmissió perquè és un dany propi.

En tot cas, la indemnització del dany compren el dany emergent i el lucre cessant. En la quantificació del dany es tindrà en compte, si s'escau, la possible obtenció de lucre del dany, que es compensarà.

Pel que fa a les formes d'indemnització procedirà preferiblement, sempre que sigui possible, el rescabalament en forma específica que reposa una situació igual a la que hi ha via abans del dany i, subsidiàriament, el rescabalament per equivalent (ex. cas de danys corporals) amb el pagament d'una quantitat de diners d'un sol cop o amb una renda periòdica.

Si existeixen, per la valoració el dany s'estarà a les taules o mòduls majoritàriament acceptats o establerts per la llei.

3.4. El nexe causal

Entre l'acció o missió i el resultat del dany ha d'existir relació de causa-efecte, que vol dir que aquest ha de derivar d'aquella. Per regla general s'exigeix la prova del nexe causal que correspon a qui al·lega el dany.

En alguns casos poden sorgir dificultats per determinar si una conducta té entitat causal suficient per responsabilitzar a l'agent d'uns danys produïts. Les teories de la causalitat miren de donar resposta a aquests supòsits. Així, la teoria de l'equivalència de les condicions planteja que totes les accions que estan relacionades amb la producció d'un dany tenen la mateixa contribució causal en el dany. Una altra teoria és la de la *condicio sine qua non*, que diu que si se suprimeix mentalment un fet concret i el resultat és que no s'hagués produït el dany s'ha de considerar que el fet és causa d'aquest.

Els tribunals habitualment resolen de forma casuística sobre l'existència del nexe causal a partir de l'apreciació raonable i empírica dels fets, acceptant la relació de causalitat quan existeix suficient proximitat en la seva successió, i desestimant-la en els supòsits en què els fets són llunyans o extraordinaris.

Cal advertir la possibilitat que diversos tipus d'interferències en la relació de causalitat. Es tracta d'elements estranys que trunquen la relació entre l'autor i l'efecte contribuint a la producció del dany. La seva presència pot arribar a exonerar l'agent de responsabilitat si es demostren imprevisibles, irresistibles o inevitables. Així:

1. El cas fortuït i la força major: El cas fortuït és el succés independent de la voluntat de l'agent, que és imprevisible, o que tot i ser previsible és inevitable i que determina la producció del dany. Té com efecte l'exoneració de la responsabilitat de l'agent (art. 1105 CC).

   La força major es relaciona amb esdeveniments de la naturalesa, cognoscibles però imprevisibles, i que l'home no és capaç d'evitar. Generalment es tracta de catàstrofes naturals. Exonera de responsabilitat a l'agent si aquest ha posat tota la diligència exigible per prevenir i evitar la interferència.

2. La culpa del perjudicat: En determinats casos, el resultat danyós s'ha produït per la concurrència amb la conducta de l'agent

de la negligència de la mateixa víctima, de manera que si aquesta no hagués existit no s'hauria produït el dany o aquest hagués estat menor.

La doctrina contempla en aquests supòsits la compensació o concurrència de culpes, quan s'han ocasionat danys recíprocs. La concurrència de la culpa de l'agent amb la de la víctima és així una de les possibles causes de moderació de la responsabilitat.

Quan la culpa del dany és exclusiva de la víctima, perquè la seva conducta interfereix en el nexe causal trencant la relació de causalitat, s'exonera de responsabilitat a l'agent.

3. La pluralitat de responsables: El fet productor del dany pot ser el resultat d'una acció realitzada per una pluralitat de persones de forma conjunta. Si els danys obeeixin a una pluralitat d'accions o omissions procedents de diferents subjectes i no és possible distingir el grau de participació de cada un d'ells en el resultat, ni identificar individualment el causant, els coautors responen solidàriament (es parla de solidaritat impròpia per distingir-la de la solidaritat del deutors en l'àmbit contractual).

4. El fet d'un tercer: Si amb la conducta de l'agent concorre el fet culpós d'un tercer, quan ambdues actuacions han estat negligents i el dany era previsible es distribuirà l'import de la indemnització de manera proporcional a la participació dels agents en la causació del dany, però la responsabilitat serà solidària enfront de la víctima.

Si la intervenció del tercer ha produït nous danys que s'afegeixen als derivats de l'actuació del primer agent, cada un haurà d'indemnitzar els danys que hagi provocat.

4. RESPONSABILITAT PER ACTES ALIENS: RÈGIM

L'obligació de reparar és exigible no solament pels danys derivats dels actes o omissions pròpies, sinó que s'estén als danys causats pels actes o omissions d'aquelles persones de qui s'ha de respondre (art. 1903 CC). La responsabilitat per actes aliens fa referència als supòsits en els que una persona respon pels danys que ha ocasionat una altra.

Aquesta atribució de responsabilitat que fa la llei es fonamenta en l'existència d'una especial relació entre els subjectes.

La responsabilitat per actes aliens es deriva de l'obligació pròpia respecte altres persones. El seu fonament es troba en la *culpa in vigilando o in eligendo*. És a dir, el responsable no ha vigilat prou la conducta del seu depenent (*culpa in vigilando*) o bé no ha estat prou diligent al escollir la persona del depenent (*culpa in eligendo*).

Les principals característiques de la responsabilitat per fets aliens són:

1. En aquests casos s'estableix la inversió de la càrrega de la prova (art. 1903.6 CC), de manera que per tal que cessi la responsabilitat serà el demandat qui haurà de demostrar que va utilitzar tota la diligència d'un bon pare de família per prevenir el dany (és un supòsit d'objectivització de la responsabilitat)

2. Es tracta d'una responsabilitat directa i no subsidiària, atès que el responsable pot ésser demandat sense necessitat que ho sigui el causant del dany, i no podrà pretendre que abans es dirigeixi contra el patrimoni del causant del dany.

3. En alguns casos el responsable té dret de repetició contra el causant del dany per tal de recuperar el que ha pagat.

L'art. 1903 CC enumera un seguit de supòsits de responsabilitat per actes aliens. Són:

1. Responsabilitat dels pares i tutors per raó de la potestat i la tutela

2. Responsabilitat dels amos i directors d'establiments i empreses per raó de la dependència empresarial

3. Responsabilitat de les persones o entitats titulars d'un Centre d'Ensenyament no superior per raó de la cura i la vigilància.

Els tribunals han estès la responsabilitat per actes aliens a altres supòsits distints als enumerats en aquest precepte. És el resultat de l'objectivització gradual de la responsabilitat que ha portat a l'ampliació del cercle de responsables mitjançant una caracterització àmplia de la figura dels dependents.

4.1. Responsabilitat de pares i tutors

Els titulars de la potestat (pares) són responsables dels danys causats pels fills mentre es trobin sota la seva guarda (art. 1903. 2 CC). Es tracta dels fills menors sotmesos a potestat (no emancipats) i respecte els actes que realitzin mentre es troben sota la seva guarda. Aquesta situació inclou el temps en que els pares gaudeixen de relacions personals (dret de visita) amb els menors la guarda dels quals ha estat atribuïda a l'altre progenitor de forma individual i el temps en que tenen la guarda alternada en cas de crisi matrimonial. Així contemplat es tracta d'un supòsit de *culpa in vigilando* del progenitor que té el fill en la seva companyia, per bé que a voltes també es podria considerar l'existència de *culpa in educando* dels dos progenitors i aleshores la responsabilitat hauria de compartida.

En el sistema de guarda de la tutela, el tutor respon dels danys causats pels pupils (art. 1903.3 CC). En aquest cas es pot tractar de menors o persones amb la capacitat judicialment modificada. Les obligacions dels tutors són similars a la dels progenitors, per aquest motiu són responsables de les conductes que realitzen les persones subjectes a la seva guarda. La norma exigeix la convivència entre el tutor que té encarregada la guarda i el pupil. La justificació d'aquesta responsabilitat dels tutors és la mateixa que la dels titulars de la pàtria potestat i igualment cessa quan es prova la diligència del tutor per prevenir el dany (art. 1903.6 CC).

Quan el dany deriva d'un il·lícit penal, els menors d'entre 14 i 18 anys responen solidàriament amb els seus pares, tutors acollidors i guardadors legals o de fet, per aquest ordre. Quan aquests no hagin afavorit la conducta del menor amb dol o negligència greu, la seva responsabilitat pot ser moderada pel jutge segons els casos (art. 61.3 LRPM).

4.2. Responsabilitat per raó de dependència empresarial

Els amos o directors d'un establiment o empresa són responsables dels danys causats pels seus dependents en el servei en què els tinguessin empleats, o en ocasió de les seves funcions (art. 1903.4 CC).

Els tribunals fan una interpretació àmplia del que s'ha d'entendre per dependents (empleats, contractats, però també relacions d'amistat o de simple tolerància...) flexibilitzant la necessitat de la relació de dependència. En tot cas, el dany s'ha de produir com a conseqüència d'una conducta culpable en l'exercici de les obligacions i serveis propis del càrrec que desenvolupa el dependent. L'acció es dirigirà contra l'empresari i la responsabilitat d'aquest cessa quan provi que ha actuat amb la diligència necessària per prevenir el dany (art. 1903.6 CC).

En relació als danys produïts per funcionaris val a dir que existeix un règim de responsabilitat objectiu i propi de l'Administració sempre que sigui conseqüència del funcionament, normal o anormal, dels serveis públics (art. 106.2 CE).

En tot cas, qui paga el dany causat pels dependents pot repetir d'aquests el que hagués satisfet (art. 1904.1 CC).

4.3. Responsabilitat dels titulars de Centres d'Ensenyament no superior

Les persones o entitats que siguin titulars d'un Centre docent d'ensenyament no superior respondran pels danys i perjudicis que causin els seus alumnes menors d'edat durant els períodes de temps en què els mateixos es trobin sota el control o vigilància del professorat del centre, desenvolupant activitats escolars o extraescolars o complementàries (art. 1903.5 CC). La responsabilitat cessa quan es proba la diligència per a prevenir el danys (art. 1903.6 CC).

En cas que hi hagués dol o culpa greu dels professors el Centre els pot exigir (repetir) les quantitats que va pagar en el seu lloc (art. 1904.2 CC).

Habitualment, la responsabilitat civil dels centres i dels alumnes es cobreix mitjançant una assegurança de responsabilitat civil que s'imposa de forma obligatòria.

En tot cas mentre els menors estan sota la vigilància del Centre docent no es pot exigir responsabilitat dels pares o tutors per el actes d'aquells.

5. LA PRESCRIPCIÓ DE L'ACCIÓ

Els terminis de prescripció de l'acció de responsabilitat civil nascuda d'il·lícit civil són molt breus. A Catalunya, el termini és de tres anys des que la persona coneix o pot conèixer la producció del dany (art. 121-21 d) CCCat). El Código Civil español estableix un termini d'un any a comptar des del coneixement com a regla general (art. 1968.2 CC) sense perjudici d'altres terminis establerts per a lleis especials per a supòsits concrets (tres anys art. 143.1 TRLGDCU, quatre anys art. 9.5 LOPHII, cinc anys art. 140.3 LPI, 45 LM).

Quan els danys són continuats, si tenen substantivitat pròpia el termini es compte des que es produeix cada un d'ells, mentre que si són unitaris es computa des del coneixement del resultat definitiu.

L'acció de responsabilitat civil pot ser exercida pel perjudicat, si bé en no tractar-se d'una acció personalíssima pot ser cedida lliurement "entre vius" sempre que no respongui a un dany moral. Tant l'acció per reclamar la indemnització com l'obligació d'indemnitzar es poden transmetre als hereus de l'agent i del perjudicat, respectivament.

Si la responsabilitat civil deriva d'un il·lícit penal s'estarà al que disposen les lleis substantives i processals penals. Atès que les normes penals no disposen el termini de prescripció de l'acció s'estarà al termini general que estableix l'art. 1964.2 CC que després de la reforma introduïda per la Ley 42/2015 és de 5 anys.